Les enfants de Noé

Du même auteur

POÉSIE

Les Poèmes : 1955-1975, Grasset, 1977
Cinquante toiles pour un espace blanc, Grasset, 1981
Les vingt-cinq heures du jour, Grasset, 1987
La main de feu, Grasset, 1993
Anthologie personnelle, Actes Sud, 1997

ROMANS

La Forêt blanche, Grasset, 1969
Un bon sauvage, Grasset, 1972
L'Homme de sable, Grasset, 1975
Les Sabots rouges, Grasset, 1979
Le Lézard grec, Grasset, 1984
Les Enfants de Noé, L'École des Loisirs, 1987
Mademoiselle Blanche, Grasset, 1990
Le Pays hors du monde, L'École des Loisirs, 1991
À la recherche du rat-trompette, L'École des loisirs, 1993
Une Embellie, Actes Sud 1996
L'Été américain, L'École des loisirs, 1998

NOUVELLES

L'assistant français, Éd. Entailles-Philippe Nadal, 1988

ENFANTS

Hibou blanc et souris bleue, L'École des Loisirs, 1978
Mystère à Papendroch, L'École des Loisirs, 1982
Histoires de la forêt profonde, L'École des Loisirs, 1984
Poèmes de la lune et de quelques étoiles, L'École des Loisirs, 1992
Bongrochagri, Éditions Grandir, Orange, 1994
La pie Magda, belle brigande, L'École des Loisirs, 1995
Le chien qui savait lire, L'École des Loisirs, 1996
L'Amitié des bêtes, poèmes, L'École des Loisirs, 1997

Jean Joubert

Les enfants de Noé

roman

Médium
11, rue de Sèvres, Paris 6ᵉ

© 1987, l'école des loisirs, Paris
Loi n° 49.956 du 16 juillet 1949 sur les publications
destinées à la jeunesse : avril 1987
Dépôt légal : novembre 2000
Imprimé en France par Bussière Camedan Imprimeries
à Saint-Amand-Montrond
N° d'impr. : 004810/1. – N° d'édit. : 3599.

I

C'est en février que tout a commencé. Plus précisément, le 27 février 2006. Cette date-là, il n'y a pas de danger que je l'oublie. Vous non plus d'ailleurs, je l'imagine, si toutefois vous êtes encore capables de vous souvenir. Je vous le souhaite, oui, je vous le souhaite vraiment, car certains ne se sont jamais remis de cet hiver terrible. Vous en connaissez sans doute. Ils ne manquent pas, autour de nous, ces hallucinés qui, l'œil hagard, remâchent des mots sans suite. Pitoyable spectacle! Pour eux, mieux vaudrait peut-être le cimetière. Mais qui sait, oui, qui sait? Et puis, dans les cimetières, il n'y a pas si longtemps, on avait plutôt tendance à refuser du monde.

Donc c'était en février, un samedi, vers le milieu de l'après-midi, et Pa était en train de fendre du bois devant le chalet. Il posait la bûche bien en équilibre sur le billot, il levait sa cognée, et rrran, il la partageait en plein milieu. Sans bavure. Il s'y connaissait, Pa. Un vrai artiste! Moi, je ramassais les morceaux, et je les entassais sous l'auvent. Il ne faisait pas trop froid, à l'abri; il y avait dans l'air une bonne odeur de résine. J'essayais d'empiler mes bûches aussi bien que possible, car Pa disait souvent qu'un tas de bois c'est la beauté de la maison, son bijou, sa parure, et je savais qu'il me surveillait du coin de l'œil. De temps en temps, il s'arrêtait pour s'essuyer le front ou la barbe, et j'en profitais pour souffler sur mes doigts. Il disait : «Pousse un peu là-haut, c'est de travers, ça dépasse. Voilà, c'est mieux, c'est bien!»

On entendait un disque sur l'électrophone, dans la cuisine: l'air de Mélisande. «Saint-Daniel et Saint-Michel, Saint-Michel et Saint-Raphaël, je suis née un dimanche, un dimanche à midi...» Je le connaissais par cœur. Man était folle de ces vieux opéras: Debussy, Mozart, Gounod, Bizet, et parfois elle se déchaînait, elle poussait le son au maximum, elle fredonnait aussi, d'une voix de soprano, un peu fausse. Charmante quand même.

J'aimais surtout la scène où Pelléas est sous le balcon: «Tes longs cheveux descendent jusqu'au pied de la tour...» et il tend le bras, il touche les cheveux de Mélisande, il les presse contre ses lèvres. Pour moi, c'était cela, l'amour; j'y pensais en entassant mon bois, tandis que Pa recommençait à taper sur son billot, rrran, et que les éclats tombaient sur le sol avec un bruit sec.

Et tout de suite j'ai songé à Catherine, qui était blonde, elle aussi, même si elle n'avait pas les cheveux longs. C'était un autre genre: moins romantique, plus moderne. Je la voyais, en classe, penchée sur son pupitre: comment elle écrivait, appuyée sur un coude, comment elle mordait le bout de son stylo ou tirait la langue. Est-ce qu'elle avait des yeux gris ou verts? Bizarrement, je n'arrivais pas à m'en souvenir. Mais comme je lui avais promis de la reconduire jusqu'au coin de sa rue, le lundi suivant, avant de prendre mon autocar, j'aurais l'occasion de regarder cela de plus près.

Il n'était guère plus de cinq heures, mais il commençait déjà à faire très sombre; l'horizon, au nord, avait pris une couleur de cendre, et j'ai pensé que cela n'annonçait rien de bon. Pa s'est arrêté tout à coup, il s'est appuyé sur le manche de sa cognée, et lui aussi il a observé le ciel.

– Assez travaillé comme ça, a-t-il dit. Tu n'as pas trop froid? Tu n'es pas fatigué? Non? Tu as vu là-haut? Il va neiger.

Tout était immobile, pas un souffle, pas un bruit, et le disque s'était achevé.

– Oui, j'ai dit, ça, c'est sûrement de la neige. Qu'est ce qu'on fait? On rentre?

– Oui, on rentre. Tu iras fermer le vasistas de l'étable.

– Je donne à manger aux bêtes?

– Si tu veux, puis tu viendras te réchauffer.

Dans l'étable, il faisait tiède. Io, notre vache, a tourné la tête vers moi en meuglant, et Zoé, la chèvre, s'est mise par jeu à donner des coups de corne. Je leur ai distribué quelques petites tapes affectueuses, puis j'ai tiré du foin par la trappe, j'ai garni les râteliers, et je les ai laissées là toutes les deux à mâchouiller d'un air farouche.

Dehors il faisait de plus en plus sombre, le ciel pesait sur les sapins, et pas une branche ne bougeait. J'ai entendu un bruit de moteur, un peu plus haut, sur le chemin, et le tracteur du père Jaule n'a pas tardé à apparaître derrière la murette, tirant une remorque pleine de bois. Jaule s'est arrêté au ras du talus de neige, devant le portail, et il a coupé le contact. Pa, qui rangeait ses outils, a levé la tête, et il a fait un grand signe du bras.

– Ça va tomber, a crié Jaule. Ça va tomber, je vous le dis, et d'ici peu. Préparez les pelles! Et on repart, comme en novembre ! Ça n'en finit pas, il n'y a plus de saisons !

Son passe-montagne était enfoncé jusqu'aux sourcils, on voyait ses grosses moustaches au-dessus du col remonté de sa veste, et il restait là, assis sur son siège, le bras tendu vers le ciel comme s'il avait prophétisé la fin du monde.

– Venez donc prendre un verre, dit Pa.

– Merci, merci, mais il faut que je rentre, avant le déluge.

– Allons ! Vous avez bien une minute.

Man avait ouvert la fenêtre ; elle était tout sourire.

– Je viens justement de faire du café. Laissez-vous tenter, Monsieur Jaule !

Là, il n'a pas pu résister :

– Ah, si c'est comme ça. Une minute alors, juste une minute !

Sébastien Jaule, c'était notre voisin. Le seul, avec sa femme et son fils, Marc. D'ailleurs, voisin si l'on peut dire : une ferme à trois kilomètres, en contrebas, avant la descente vers la vallée. Et, au-dessus de nous, le désert : des forêts de sapins, des prairies, quelques granges, puis des alpages jusqu'aux cimes. On aurait aussi bien pu vivre sur la lune, même si la lune, à cette époque-là, commençait à se peupler. Mais ça : la nature, la solitude, la méditation, c'était une idée de mes parents, et quand ils en parlaient, ils devenaient vraiment lyriques. Pa surtout. Noémie, elle, ne disait rien : une espèce de sauvageonne, des yeux verts, des cheveux dans les yeux, et forte comme un garçon. Elle courait les bois, rapportait des lézards, des crapauds, des serpents, parfois des oiseaux blessés qu'elle soignait dans sa chambre, avant de les relâcher dans la montagne. Le reste du temps, elle lisait des livres : des livres sur les bêtes, mais aussi des histoires, des légendes et même de la poésie. Noémie, c'est ma sœur.

Donc Sébastien avait fini par entrer, et il s'était installé dans la salle, devant la cheminée : «Une minute, juste une minute!» et il continuait de dire que les saisons n'étaient plus ce qu'elles avaient été, qu'il en perdait son latin, et que du temps de son père et de son grand-père…

Quand il nous parlait de ses ancêtres, il s'excitait bizarrement, Sébastien, et il nous racontait d'interminables histoires de chalets perdus sous la neige pendant des semaines, de froids terribles, d'arbres fendus par le gel, de loups qui sortaient des bois et venaient rôder autour des étables. Il avait sans doute ses souvenirs, mais il ne manquait pas d'imagination ; de toute évidence, il en rajoutait, et lorsqu'il était sur cette pente, rien ne pouvait l'arrêter.

Noémie, là-dessus, dressait l'oreille :

– Des loups? De vrais loups?

– Mais oui, de vrais loups avec des yeux rouges et des dents comme des couteaux. On les entendait hurler, la nuit, et, le matin, on voyait les traces de leurs pattes, grosses comme ça!

Et il montrait sa main, aux ongles noirs, tannée et crevassée. Noémie était aux anges.

– Pourquoi on ne les voit plus, les loups?

– Ah ça! ils ont dû se cacher dans quelque coin.

– Vous croyez qu'ils reviendront?

– Qui sait?

Un jour, j'avais demandé à Pa : «Quel âge il a Sébastien Jaule?» et il m'avait dit : «Quarante-cinq». Pour moi, avec ses moustaches, ses rides et ses histoires, il aurait aussi bien pu en avoir quatre-vingts. Un ancêtre, quoi! A treize ans, on ne fait pas de différence.

Sébastien était donc là, les pieds au feu, sa tasse de café à la main, et il parlait des étés de jadis: une fournaise, un ciel de feu, et on ne pouvait travailler dans les champs qu'à la tombée de la nuit.

– C'est fini, tout ça. Tout se détraque, avec leurs expériences en Alaska, en Sibérie, au Pôle Nord. Vous avez vu? Qu'est-ce qu'ils ne vont pas inventer! On se demande comment ça finira.

– Ah ça! disait Pa.

Moi, je les regardais du coin de l'œil, et je me demandais comment la conversation allait tourner, car, de temps à autre, ils se chamaillaient terriblement tous les deux: la politique, la religion, l'agriculture, je ne sais quoi. Ils criaient à tue-tête, ils devenaient tout rouges. Man se précipitait: «Mais oui, mais oui, il y a du vrai dans ce que vous dites l'un et l'autre. Il faut voir…» et elle essayait de faire diversion. Pourtant ce n'était pas toujours facile de les calmer.

– Vous ne m'écoutez pas, Monsieur Jaule, protestait mon père.

– Mais si, je vous écoute. C'est vous qui…

– Allons donc!

Ils finissaient par se réconcilier, si toutefois ils avaient jamais été fâchés. «Je l'aime bien, disait Pa. Il est plein d'idées folles, mais, à sa manière, c'est un poète!»

Ce jour-là, Pa restait silencieux, il se contentait de hocher la tête, en faisant: «Oui, oui…» et il avait l'air de penser à autre chose. Peut-être qu'il était simplement fatigué d'avoir fendu son bois toute l'après-midi.

– Voilà qu'il neige, dit Man, qui s'était approchée de

la fenêtre, et en effet de gros flocons commençaient à tomber dans la cour.

– Cette fois, il faut que je file, a dit Sébastien. Mon bois à décharger avant la nuit, vous comprenez. Merci pour tout. Arrêtez-vous donc à la maison quand vous descendrez au village.

Il a eu vite fait de grimper sur son siège, et, baissant la visière du passe-montagne, il a disparu dans le brouillard blanc.

Je me suis attardé quelques instants sur le perron. Il n'y avait plus, dans le silence, que le frôlement de la neige, maintenant si serrée que je voyais à peine les sapins de l'autre côté de la route. A côté de moi, Noémie avait renversé la tête en arrière, et, la bouche ouverte, tirant une langue très rose, elle gobait les flocons.

Quand j'y songe, c'était, au fond, un soir comme les autres, sauf que l'on avait allumé l'électricité dès cinq heures, à cause de cette neige qui tombait, de plus en plus épaisse. Derrière la vitre, elle descendait très lentement dans la lueur de la lampe. Déjà elle recouvrait la cour, que nous avions déblayée quelques semaines plus tôt, et les talus de neige ancienne.

Pa était assis devant la cheminée, ses bottes sur la pierre du foyer ; il avait allumé sa pipe, et il regardait le feu d'un air songeur. De temps en temps, il se massait les reins, avec une sorte de grimace.

Noémie, accoudée à la table, s'était mise à dessiner. Je me suis glissé derrière elle, sur la pointe des pieds, et j'ai jeté un coup d'œil par-dessus son épaule. Sur le papier, il y avait deux bonshommes, l'un avec une barbe, l'autre avec une moustache, qui devaient être Pa et Sébastien. Je n'ai pas pu très bien les voir, car elle les a aussitôt cachés avec ses mains, en criant: «Non, laisse-moi!» d'une voix si rageuse que je n'ai pas insisté.

Je suis allé rejoindre Man qui préparait le dîner dans la cuisine. Je lui ai demandé ce qui mijotait dans la marmite, et elle m'a dit: «Du ragoût. Tiens, sens!» en soulevant le couvercle. Ça sentait vraiment bon, le feu craquait dans le fourneau, et tout à coup l'horloge a sonné sept heures. A nouveau j'ai songé à Catherine. Que pouvait-elle bien faire en ce moment? Est-ce qu'elle pensait à moi, elle aussi?

– Simon, a dit Man, tu serais gentil de mettre la table

– Pourquoi moi et pas Noémie?

– Noémie la débarrassera.

– J'aimerais mieux débarrasser.

– Ne discute pas!

J'ai dit à Noémie de ranger ses affaires, et elle a crié:

– Attends, attends! Je finis.

– Non, je n'attendrai pas.

Au fond, je l'aimais bien, Noémie, mais, je ne sais pas pourquoi, elle me tapait sur les nerfs. Parfois je me disais même que ç'aurait été beaucoup mieux si j'avais été tout seul, avec Pa et Man, comme avant. Ça ne m'aurait pas dérangé alors de mettre *et* de débarrasser la table. Mais voilà! Noémie était arrivée; on n'y pouvait rien.

Elle avait fini par se lever, et, bien sûr, elle était allée montrer son dessin à Pa, qui, comme toujours, s'était mis à pousser des oh! et des ah! et à s'exclamer qu'elle avait un talent fou, que c'était génial, et des choses absurdes du même genre. Il faut bien admettre qu'elle ne dessinait pas mal, cette gamine, mais «génial», c'était beaucoup dire!

Après le repas, on a regardé un film à la télévision, et le petit génie s'est endormi, comme d'habitude, en tétant le coin de sa couverture. Pa tirait sur sa pipe, et il avait l'air de penser à autre chose. Man disait, de temps en temps: «C'est idiot, vraiment idiot!» et sans doute qu'elle aurait préféré écouter *Carmen*. Le chat, Hector, s'était couché sur ma poitrine; il ronronnait comme un diable; parfois il étirait une patte et m'enfonçait doucement ses griffes dans l'épaule.

Une soirée comme les autres, je vous dis. Et la famille idéale: Pa, Man, les enfants, le chat, les bûches qui flambaient, et le tic-tac de l'horloge.

Avant de se coucher, Pa a ouvert la fenêtre pour tirer le volet. Il neigeait de plus en plus fort. «Il y en a déjà plus de cinquante centimètres dans la cour, a-t-il dit. C'est incroyable, je n'ai jamais vu de flocons aussi gros!» Il a tendu la main, et, en quelques secondes, elle a été couverte d'une épaisse couche blanche.

J'ai fureté quelque temps dans ma chambre, en pensant à la neige, à Catherine, au lundi suivant. Tout à coup, j'avais décidé que je l'embrasserais, Catherine, sur la bouche, comme à la télévision, mais je me demandais comment on pouvait faire ça sans étouffer et sans que les nez se rencontrent.

J'ai fini par me mettre au lit. Je suis resté les yeux ouverts dans le noir, à écouter le frôlement de la neige, comme si des insectes mous avaient essayé d'entrer dans la pièce, puis je me suis endormi.

II

Les Hautes-Alpes, c'était une idée de mon père. Vers la quarantaine, il s'était senti fatigué. Fatigué de tout : de Paris, du vacarme, des horloges, de son travail, des rendez-vous, du courrier, des discussions, du téléphone, et des *têtes* surtout. C'est ce qu'il disait, du moins.

Il était avocat, un bon métier, mais, lui, il aurait voulu être sculpteur ou jardinier. Autre chose, en tout cas ! Sans vraiment rouler sur l'or, on était plutôt prospères : un bel appartement dans le seizième, deux voitures, des vacances au bout du monde dans les meilleurs hôtels. Mais Pa commençait à dire que l'argent qu'il gagnait était trop cher payé.

Il devenait nerveux et de plus en plus bizarre. Le matin, il oubliait toujours quelque chose : son portefeuille, ses clefs de voiture, sa serviette. Il remontait l'escalier en pestant, ravageait son bureau, se cognait aux meubles, repartait au pas de course pour revenir deux minutes plus tard, et, cette fois, c'était sa montre, ses papiers. Man le regardait, inquiète, et ne disait rien. Il arrivait en retard à ses rendez-vous, les clients s'impatientaient, téléphonaient. Man répondait : « Ne vous en faites pas, il est en route ! » puis elle mettait *la Traviata* sur l'électrophone, mais on sentait bien que le cœur n'y était pas, et, à cette époque-là, elle avait cessé de chanter.

Le soir, Pa rentrait, l'air hagard, sa cravate de travers, il mangeait sans dire un mot, prenait de petites pilules multicolores. Puis il allait s'enfermer dans son bureau, et Man disait qu'il méditait et qu'il ne fallait pas faire de bruit.

C'était seulement pendant les week-ends qu'il avait l'air de revivre. Il nous entassait dans la voiture, et il partait au hasard. Il évitait les autoroutes, dont il avait horreur, et suivait des petits chemins de campagne, qui serpentaient entre les buissons et parfois se terminaient en fondrières. On se retrouvait dans le Loiret ou en Normandie, au bord d'une mare. Les oiseaux trillaient dans les arbres, les abeilles butinaient. Man cueillait des fleurs, Noémie courait après les papillons, et moi je gambadais dans les sentiers. Pa, couché sur l'herbe, les bras en croix, regardait le ciel. Souvent il s'endormait, son chapeau rabattu sur le front. Au retour pourtant, dès que nous atteignions la banlieue, il retrouvait son air sombre, et il fumait comme un démon.

C'est alors, je m'en souviens, que Pa fut repris par sa passion pour la sculpture. Passion, c'était le mot de ma mère. Moi, d'abord, je pensais plutôt: folie. Il avait transformé l'une des chambres de l'appartement en atelier, et il y avait installé un établi, avec de petites machines électriques, car c'était le bois qu'il travaillait. Je savais que, dans sa jeunesse, il avait suivi des cours aux Beaux-Arts, mais que son père n'avait pas tardé à contrarier une vocation qu'il jugeait peu raisonnable, en menaçant de lui couper les vivres. Pa s'était, semble-t-il, un peu débattu, mais il avait fini par capituler, et il s'était engagé dans des études de droit, pour la plus grande satisfaction de la famille. Cette vocation rentrée lui était pourtant restée en travers de la gorge, et, tout à coup, après vingt ans de ce qu'il appelait des «loyaux services», il brûlait de prendre une sorte de revanche.

Le soir, le repas à peine terminé, il filait vers sa tanière, et les moteurs se mettaient à ronfler. D'abord, comme s'il avait voulu exprimer les idées sombres qui lui couraient dans la tête, il avait créé une troupe de monstres: des insectes fabuleux, à visage humain, pourvus de pinces et de dards, des nains griffus figés dans des postures grotesques, puis des pieuvres, des vampires, des momies. Ces œuvres, de petit format, il les disposait sur des étagères où je les examinais avec un mélange de fascination et de crainte. Il m'arrivait aussi, lorsque Pa m'en donnait la permission, de m'approcher de l'établi, et je m'émerveillais de la précision de ses gestes lorsqu'il maniait les limes et les gouges, pour achever un détail.

Parfois il faisait tourner la statuette dans la lumière; il me demandait:

– Qu'est-ce que ça te dit?

– C'est beau, mais ça me fait peur.

– Bon! Il faut que ça fasse peur.

– Qu'est-ce que c'est?

Il répondait: «un cauchemar» ou «la reine de la nuit» ou «un scarabée pensif». Cela ne m'avançait guère, je hochais la tête, je pensais aux histoires qu'il inventait pour m'endormir, quand j'étais petit.

Il finit par exposer dans quelques galeries, mais ce qui le lança surtout fut un jeu d'échecs aux pièces fantastiques, sur lequel il avait travaillé pendant des mois, et qui trouva aussitôt un amateur.

Il semblait un peu moins préoccupé, mais il gardait un air absent, n'entendait pas ce qu'on lui disait ou bien répondait au petit bonheur. Si ma mère ne s'était pas montrée vigilante, il aurait oublié, un jour sur deux, de partir au travail.

Parfois il disait: «J'étouffe», ce qui était sans doute une façon de parler, mais il lui arrivait aussi, littéralement, de perdre le souffle, et c'était alors main sur le cœur, suffocation, pilules. Man s'affairait. Noémie et moi les regardions, consternés. Pa finissait par reprendre couleur. «Ce n'est rien, ça passera… Ah, chienne de vie!» J'avais à peine dix ans à cette époque, et l'expression «chienne de vie», qui ressemblait si peu à mon père, avait pour moi des résonances sinistres.

Quelques conversations, surprises par hasard, me laissaient supposer que les finances de la famille se détérioraient rapidement, et que Pa ne se préoccupait guère d'y porter remède. Ma mère devenait de plus en plus soucieuse, et je lisais sur son visage comme l'annonce d'une catastrophe.

Je l'aimais bien, la tante Agathe, mais, d'une certaine manière, elle a eu une bonne idée de mourir. Une crise cardiaque foudroyante. Une domestique l'a trouvée, assise dans un fauteuil, son chat sur les genoux. La tête à peine penchée, les yeux ouverts: elle s'était bien tenue jusqu'au bout.

Son notaire de mari était disparu depuis longtemps déjà, elle n'avait pas eu d'enfant, et mon père était son neveu favori. Il allait souvent lui rendre visite, seul de préférence, car Man déclarait, non sans raison d'ailleurs, que, nous autres, elle nous tolérait tout juste par politesse, et que nous ne faisions que jeter des ombres sur le charmant tableau. Lorsque nous accompagnions mon père, dans les grandes circonstances, Man restait raide sur sa chaise et n'ouvrait pas la bouche, je bâillais en regardant le plafond, et Noémie, toujours perverse, ne tardait pas à fourrager parmi les bibelots.

Avec un sourire crispé, tante Agathe nous conduisait dans la bibliothèque et nous laissait en compagnie de la Comtesse de Ségur et de Stevenson. «Soyez bien sages, disait-elle, lisez les belles histoires!» A peine avait-elle tourné le dos que Noémie dégringolait de son siège, et que je me fourrais les doigts dans le nez.

A la fin de sa vie, elle souffrait de rhumatismes, et le bruit de sa canne sur le parquet me terrifiait, comme celui de la jambe de bois, dans *l'Ile au trésor*. Mais avec mon père, elle était tout miel: elle l'appelait «mon petit Nicolas», et même «Nico», comme s'il avait été un gamin. Elle n'avait d'yeux que pour lui, et je voyais bien que ça ne déplaisait pas à mon père. Il suffisait de le cajoler, Pa, et il était aux anges; tout juste s'il ne se mettait pas à ronronner. Alors, on pouvait faire de lui ce qu'on voulait. Noémie le savait bien.

Un soir qu'il était rentré très tard de l'une de ses visites à tante Agathe, Man lui avait dit d'un ton maussade:

– De quoi pouvez-vous bien parler, pendant des heures?

– De métaphysique! avait répondu Pa, un peu sèchement.

Moi, j'avais demandé:

– Qu'est-ce que c'est, la métaphysique?

– Eh bien… la vie, la mort, l'éternité…

– Tout ça?

– Oui, tout ça!

J'essayais d'imaginer Pa, assis dans le grand salon,

une tasse de café à la main, en train de discourir sur l'éternité avec tante Agathe.

Finalement, à force de parler de l'éternité, elle avait tout légué à son «petit Nicolas» : sa maison de Neuilly, la villa de Cabourg, ses actions, ses bijoux et le chalet de Valmagne.

A cette époque-là, Pa était au plus sombre, mais tout à coup, à travers sa tristesse, il avait vu comme un signe du destin. On allait tout vendre, tout quitter, lâcher Paris et le travail. On irait s'installer dans le chalet, où l'on vivrait de rien. Il s'en souvenait pour y avoir passé des vacances quand il était enfant : un endroit merveilleux ! Man ne disait pas non, et moi j'étais tout excité à l'idée de changer de vie.

Dès la semaine suivante, nous sommes partis en reconnaissance. C'était le début de mai, les prairies se couvraient de fleurs ; des ruisseaux serpentaient dans les sous-bois et cascadaient sur les talus ; les sommets encore enneigés luisaient au soleil. Pa avait baissé la vitre de la voiture, et il conduisait pieds nus, ce qui est chez lui un signe d'allégresse. Il s'était même remis à sourire.

Après avoir traversé Gap, et suivi une route interminable qui gravissait les pentes entre les sapins, nous avons fini par atteindre le chalet. Il était là, perdu au milieu des forêts et des alpages : une idée un peu folle de tante Agathe, qui du moins n'y passait que quelques mois pendant la belle saison ; et une idée beaucoup plus folle de mon père, puisqu'il voulait nous y installer à demeure. Mais, ce jour-là, nous ne voyions que le charme du décor, sans songer aux difficultés qui pourraient surgir.

C'était un grand chalet de bois massif, comme on en bâtissait au début du dix-neuvième siècle, et qui, sous son vaste toit à double pente, couvert de lauzes, abritait à la fois le logis, la grange, l'étable et les diverses remises. Il donnait une impression d'équilibre, d'harmonie et de solidité. Avec ses petites fenêtres bien alignées, la balustrade grossièrement sculptée de son perron et son tas de bûches sous l'auvent, il m'apparaissait tel que je l'avais imaginé en écoutant les récits de mon père. Je m'y voyais déjà, transformé en paysan, et libre de courir la montagne.

Un lilas embaumait le jardin, envahi par des herbes folles. A notre approche, une volée d'oiseaux noirs s'éleva d'une pâture, et alla se percher dans les sapins qui la bordaient. Pa avait rapidement traversé la cour et ouvert la porte, les volets. L'intérieur sentait le moisi. Dans la cheminée, noircie par le feu, était resté un tas de cendre. Des rôdeurs avaient dû nous précéder, car une vitre était brisée à la fenêtre de la cuisine, et, sur la table, il y avait une bouteille vide, des verres et des miettes. Mais, semblait-il, les visiteurs n'avaient rien emporté.

Pa allait de pièce en pièce, il reconnaissait tout, il s'exclamait: «C'est là que je dormais, dans ce lit. Le soir, l'oncle sonnait du cor. Agathe soupirait de bonheur. Elle était jeune alors, belle, des cheveux sombres; elle m'apprenait les étoiles...» Il était plein de souvenirs. Man riait de le voir ragaillardi, et elle disait: «Oui, c'est ici qu'il faut vivre!»

Nous sommes montés jusque dans le grenier. Il y avait encore du foin, de la paille, tout un fouillis de vieux meubles et de caisses. Agathe n'avait rien changé. Superstitieuse, elle prétendait qu'il fallait respecter *l'esprit des lieux*. C'était l'une de ses grandes théories, ça et la persistance des morts autour de nous.

Une chouette, perchée sur une poutre, s'est mise à battre mollement des ailes, elle a penché la tête, nous a regardés un moment, puis elle a fermé les yeux.

En septembre, Pa avait réglé ses affaires, et nous nous étions installés à Valmagne. Aussitôt il s'était mis à défricher le jardin, à tailler les haies, à couper du bois pour l'hiver. Il s'habillait de velours, se chaussait de bottes, et le grand air, le soleil de l'automne lui rougissaient le visage. Il avait acheté un tracteur, une vache, une chèvre, des poules. Sébastien Jaule, qui savait tout, lui donnait des conseils et, de temps à autre, un coup de main.

Quand il n'était pas aux champs, Pa sculptait dans l'une des granges qu'il avait aménagée en atelier. Il avait commencé un autre jeu d'échecs, et il travaillait sans se presser, disait-il, et pour son pur plaisir. Parfois, il lui arrivait de fredonner, penché sur son établi.

Il avait fait élargir l'unique fenêtre, afin qu'elle éclairât cette pièce où il passait une bonne partie de la journée. Les blocs de buis étaient d'abord dégrossis au tour électrique. Lorsque l'ébauche avait la dimension voulue, mon père la serrait dans un étau, et il la sculptait à la main avec des ciseaux, des gouges et des limes de toutes tailles qu'il prenait devant lui sur un râtelier. Il retrouvait les gestes des artisans de jadis, et s'il n'y avait pas eu, à l'arrière-plan, les petites machines modernes, peintes en rouge vif, on aurait pu se croire dans un autre siècle.

A cette époque, il exécutait les premières pièces d'un jeu d'échecs de grande dimension, destiné à un collectionneur, le banquier suisse Tarmeyer. Ce dernier, ayant découvert quelques œuvres de mon père dans une galerie, avait éprouvé un tel enthousiasme qu'il avait aussitôt tenu à passer commande. Ses lettres, de plus en plus pressantes, et dans lesquelles il témoignait de son admiration, de son estime et de connaissances subtiles dans le domaine artistique, avaient séduit mon père, qui s'était mis à l'ouvrage. Des esquisses d'abord, car il n'aimait rien tant, son crayon à la main, que se livrer à son imagination. Ensuite, ces dessins, il les gardait sous les yeux tandis qu'il sculptait, mais plutôt pour s'en inspirer que pour les reproduire fidèlement; et, un jour où je l'interrogeais, il m'avait répondu qu'il tenait à sa liberté de suivre ce que lui suggéraient une veine du bois, une ombre ou la fantaisie de l'instant.

C'était un travail lent et patient, et qui avait sans doute quelque chose d'insensé dans un monde où l'on ne parlait que de rentabilité et de vitesse. Qu'un banquier en fût le commanditaire ne manquait pas de piquant, d'autant plus que Tarmeyer avait, dans son milieu, une réputation de réaliste. Cet homme de chiffres, doué en apparence d'un esprit froid et raisonnable, avait donc des faiblesses et des passions secrètes. Son goût pour les échiquiers, dont il possédait une collection considérable, était-il lié à un souvenir d'enfance, à l'image d'une personne: père, grand-père ou oncle, qui l'eût jadis initié? Ce n'était pas improbable, mais Pa s'était bien gardé de l'interroger sur ce point. Tarmeyer avait offert un bon prix, même si la minutie que mon père apportait à son travail ramenait son gain à des proportions modestes.

En effet, il ne forçait pas l'allure, et lorsqu'il lui arrivait de s'ennuyer, il allait au jardin sarcler ou irriguer, ou bien il s'asseyait près de son poêle, un livre sur les genoux.

Les œuvres de mon père, je les admirais beaucoup, et, un jour, je lui demandai, de manière plus prosaïque, combien pouvait coûter un tel jeu. Il me cita un chiffre qui me parut considérable, mais je songeai que si le banquier était assez passionné pour payer cette somme, il n'hésiterait pas, en cas de nécessité, à dépenser plus encore. Je le fis remarquer à mon père, qui me regarda d'un air surpris.

– Il est tellement riche! ajoutai-je.

– Sans doute, mais je lui ai demandé le juste prix, et c'est bien comme cela. D'ailleurs, qu'est-ce que nous ferions de tout cet argent? Nous avons ce qu'il nous faut.

– On pourrait acheter des tas de trucs: une télévision toute neuve, une autre voiture...

– Celles que nous avons marchent très bien. Et puis, tu sais, il y a des choses beaucoup plus importantes dans la vie!

Je dis: «Ça n'empêche rien!» en faisant la moue.

Mes camarades, à l'école, parlaient souvent de ce que l'on gagnait dans leurs familles, du prix des voitures, des maisons, des objets qu'ils possédaient, et ce n'était sans doute que le prolongement des conversations qu'ils entendaient chez eux. Au chalet, en revanche, il n'était pour ainsi dire jamais question d'argent, ou alors c'était sur un point précis, et ni mon père ni ma mère ne s'y attardaient. J'étais d'ailleurs un peu surpris de leur attitude, et, devant les autres, je souffrais parfois de ce que nous vivions non pas pauvrement certes, mais modestement. On est comme cela, à cet âge; par moments on voudrait ressembler à tout le monde, et, mes parents, je les aimais bien, mais je les trouvais plutôt bizarres.

Pa avait posé son outil, il avait remonté ses lunettes sur son front, et il me regardait avec un sourire un peu triste.

– Moi, quand je serai grand, je gagnerai beaucoup d'argent, lui dis-je, sans trop y croire.

Il eut un geste las de la main.

– Peut-être, dit-il, peut-être, et pourquoi pas? J'espère simplement que cet argent ne te coûtera pas trop cher!

C'était cela, mon père, un «dinosaure», comme auraient dit les autres dans leur jargon d'écolier, et je les imaginais levant les yeux au ciel ou haussant les épaules s'ils l'avaient entendu.

Ce jour-là, je m'en souviens, au début de l'automne, il avait un peu neigé. Un feu de copeaux ronflait dans le poêle. Des merles chahutaient dans le buisson de lierre. Pa avait pris la statuette entre ses doigts, et, l'approchant de ses yeux, il l'avait fait pivoter lentement dans la lumière.

De son côté, Man s'occupait de la maison ou bien elle faisait des confitures avec les fruits du verger, en écoutant ses opéras. Jamais je ne l'ai vue aussi gaie qu'à cette époque. Elle affirmait que, toute sa vie, elle avait voulu habiter dans une forêt. Quant à Noémie et moi, nous allions à l'école du village. L'autocar venait nous prendre chaque matin au portail, et nous rentrions à la nuit. Nous profitions des jours de congé pour mener les bêtes à la pâture ou pour explorer les environs.

En dehors des Jaule et de quelques bûcherons, on ne voyait pour ainsi dire personne. « Le bout du monde ! » s'exclamait mon père avec une sorte de jubilation, et je le soupçonnais de regretter de n'avoir pu s'installer encore plus loin, plus haut, vers ces alpages où, dans la rumeur des torrents, sifflaient les marmottes et couraient les dernières hordes de bouquetins. En un temps où les hommes s'entassaient dans les villes, il y avait là quelque chose de paradoxal, comme si Pa avait choisi de prendre l'époque à rebrousse-poil. Fallait-il qu'il l'ait détestée, pour mettre entre le monde et nous de telles distances ! C'est ce que je me disais alors, mais lorsque j'y songe maintenant, il me semble que ce n'était pas de la haine ou que, du moins, il avait vite dépassé ce sentiment. Ce qui ressortait de ses propos, c'était plutôt la paisible affirmation d'une différence. Il avait fait sécession, voilà tout !

La route asphaltée s'arrêtait brusquement devant notre cour, comme si la civilisation nous avait offert, du bout des doigts, ce dernier cadeau. Ensuite commençait un chemin forestier, qui serpentait entre les sapins et les mélèzes, desservant les prairies de Sébastien et les plantations de l'État où, chaque été, des bûcherons exploitaient quelques coupes. Après cinq ou six kilomètres, cette route elle aussi s'interrompait, laissant place à une piste muletière qui gravissait en lacets les pentes abruptes au-dessus du torrent, et peu à peu s'arrachait à la forêt pour gagner les alpages. A la belle saison, Pa nous y entraînait dans des ccurses de plus en plus longues, et si, au début, le souffle court, les mollets douloureux, nous avions quelque peu rechigné, nous nous étions vite pris au jeu, et nous trouvions plaisir à le suivre.

Il marchait devant nous, en short, avec son sac à dos et son bâton ferré. Juvénile, infatigable! Parfois il s'arrêtait pour nous montrer du doigt le paysage. Ou bien c'était un oiseau, une fleur, une pierre. Il les nommait, s'extasiait des formes, des couleurs, comme s'il les avait vus pour la première fois. «C'est cela la beauté, l'harmonie, la perfection, disait-il. Il n'y a rien à ajouter, il suffit d'ouvrir les yeux!» et en effet il ne nous faisait pas de discours, mais restait là, accroupi, à caresser un pétale ou la veine d'une roche. A cette époque, je l'avoue, il m'arrivait d'avoir un peu honte de lui, et je surveillais le sentier, de peur qu'un promeneur ne le surprît dans cette posture. Il était comme cela, mon père : sensible, enthousiaste, exalté, en proie à des émotions qu'il tenait à nous faire partager. Il m'a appris à voir, je le sais maintenant, et si je possède un regard assez aigu et la mémoire de ce qui m'a touché, c'est à lui que je le dois.

Souvent nous montions jusqu'à la maison du berger, à l'endroit où la piste atteignait un vaste cirque herbeux, entre les sommets. Nous faisions halte quelques instants. Nous posions nos sacs près de la fontaine. Je me souviens de l'eau glacée contre mes mains, de l'ombre fraîche des mélèzes, de l'odeur de suint du bercail.

Lorsque Gaspard, le berger, n'était pas sur les pentes avec ses bêtes, il venait nous rejoindre. Il s'asseyait près de nous sur une pierre. «Alors, quoi de neuf, en bas?» demandait-il, en roulant une cigarette. Il avait la soixantaine, une courte barbe grise, des yeux d'un bleu étonnant. Je regardais ses grosses mains habiles à disposer le tabac dans le papier. Pa lui donnait des nouvelles du village, où il ne descendait que tous les quinze jours, avec son âne, pour se ravitailler. Mais vite ils se mettaient tous deux à parler de la montagne, du temps, des plantes, de je ne sais quoi. Ils étaient intarissables. Je finissais par aller rôder dans les buissons, à la recherche des framboises. Noémie jouait avec le chien. On entendait les grelots des moutons dans les pâtures, et, plus loin, la rumeur du torrent.

Pa était aux anges. Il avait trouvé son bon sauvage, et plus tard il nous dirait: «Quel homme! Il aurait beaucoup à apprendre à nos savants. Vivre là, avec les étoiles! Ah, si j'étais seul, je me ferais berger!» Man hochait la tête et souriait avec indulgence: elle avait entendu cent fois ce discours.

C'est Gaspard qui nous a raconté l'histoire du hameau, abandonné depuis près d'un siècle, et dont ne subsistait que la petite maison qui, l'été, lui servait de refuge. Des paysans avaient vécu là, cinq familles, dans les chalets qui, désormais en ruine, se confondaient avec les rochers et la broussaille. L'hiver, sous la neige, ils étaient retranchés du monde. Ils n'avaient que leurs provisions et le fourrage pour leurs bêtes. Un homme, qui savait lire et écrire, accueillait les enfants dans sa cuisine, et il leur apprenait ce qu'il pouvait. A la belle saison, l'instituteur, en bas, ferait le reste, mais les écoliers devraient alors marcher des heures sur le sentier, se levant à l'aube et ne rentrant qu'à la nuit. Ils avaient tenu comme cela, de père en fils, pendant des générations, mais, une nuit de décembre, vers les années vingt, disait le berger, une avalanche avait détruit la plus grande partie du hameau. Une vieille, se réveillant en sursaut, avait crié: «J'entends la neige qui craque!» Vite, elle avait averti le reste de la famille, et ils s'étaient réfugiés sous les voûtes de la bergerie, au milieu du troupeau. C'est ce qui les avait sauvés, mais d'autres, surpris dans leur sommeil, avaient été enseve-lis. Les survivants, découragés, avaient fini par quitter leur terre pour se replier vers la vallée.

Voilà ce que nous disait le berger, et, pour moi qui l'écoutais, c'était comme une histoire fabuleuse. J'y ai souvent songé depuis, et je crois maintenant qu'elle était l'annonce des épreuves que, cent ans plus tard, nous allions subir, de manière alors imprévisible. Mais, en ce temps-là, j'étais insouciant, et je me contentais d'imaginer ces écoliers de jadis, qui, avec leur galoches, leurs pèlerines et leurs cartables, suivaient le sentier entre les gouffres.

Nous aussi nous vivions sur cette montagne, et le paysage n'avait pas dû beaucoup changer, sinon que le hameau était tombé en ruine. Mais, bien sûr, nous avions une existence tellement plus facile! Oui, je me souviens des premières années à Valmagne comme d'une période de vrai bonheur. Et lorsque cette étrange neige de février vint nous surprendre, c'était notre troi-sième hiver.

III

Donc, ce dimanche-là, quand je me suis réveillé, il y avait un grand silence sur la maison, et tout de suite, j'ai reconnu le silence de la neige. Lorsqu'elle est tombée comme cela toute la nuit et qu'elle recouvre le chalet et la montagne, il n'y a plus aucun bruit; on a beau tendre l'oreille, la vie dehors s'est étouffée. Seul le tic-tac de l'horloge continue de résonner dans la salle. En fermant les yeux, on éprouve une sorte de léger vertige, et on se demande si l'on n'est pas encore en train de rêver.

J'ai fermé les yeux, et je suis resté immobile, dans la chaleur de l'édredon, en me disant que c'était dimanche, et que j'avais tout le temps de me lever. D'ailleurs je n'entendais rien dans la cuisine, et je ne sentais pas non plus l'odeur de café qui, d'habitude, m'avertissait que mes parents étaient debout. Je pouvais donc paresser en paix, et j'étais d'excellente humeur. J'avais une journée de liberté devant moi, je donnerais un coup de main à Pa pour déblayer l'allée jusqu'à la route, puis, si la neige n'était pas trop épaisse, j'irais faire de la luge dans le pré.

Enfin Noémie s'est mise à fureter dans sa chambre, derrière la cloison. Elle avait une façon bien à elle de trottiner, pieds nus, comme une souris. Elle a ouvert sa fenêtre, et aussitôt elle a poussé des exclamations. Je me suis levé, j'ai enfilé un chandail, et je suis allé la rejoindre.

– Qu'est-ce qui t'arrive ?

– Regarde ! je ne peux pas ouvrir mes volets.

Elle était là, en chemise de nuit, ébouriffée, les cheveux dans les yeux.

– Couvre-toi, lui ai-je dit. Tu vas finir par t'enrhumer, à traîner comme ça !

En poussant de toutes mes forces, j'ai réussi à écarter un peu les volets dont le bas était bloqué par la neige. Elle avait dû tomber furieusement pendant la nuit, et, à en juger par ce que je voyais dans la cour, elle atteignait plus d'un mètre cinquante de hauteur. Cela nous était déjà arrivé plusieurs fois vers la fin de l'automne, mais pas en cette saison. De plus, les flocons ne cessaient de descendre, et ils étaient encore plus gros que la veille. Ils se posaient doucement avec un souffle léger. J'ai pris une poignée de neige, je l'ai serrée entre mes doigts, et j'ai senti tout de suite qu'elle était d'une consistance bizarre, et comme spongieuse.

J'ai laissé là Noémie, et je suis allé dans la cuisine. Pa venait juste de se lever ; il avait jeté sur les braises un fagot qui commençait à flamber, et, avec précaution, il était en train d'ouvrir la porte. La masse blanche lui arrivait au niveau de la poitrine, et il la palpait, la tâtait comme il le faisait parfois avec la terre du jardin.

Au bruit de mes pas, il a tourné la tête vers moi, avec une sorte de grimace.

– Drôle de neige ! Et ça n'arrête pas, tu as vu ? On a du travail pour l'après-midi.

– C'est surprenant, tu ne trouves pas ? à la fin de février.

– Oui, plutôt rare, mais ça arrive. Souviens-toi des histoires de Sébastien.

– Tu crois que nous pourrons aller à l'école demain ?

– C'est probable. On va nous envoyer le chasse-neige. Ça t'ennuierait tellement de manquer la classe ? a-t-il ajouté avec un sourire.

J'ai dit : «Bah !» d'un air vague, mais je pensais à mon rendez-vous avec Catherine ; et il fallait qu'il se mette à neiger juste ce jour-là ! Si je ne pouvais pas venir, Catherine comprendrait, bien sûr, mais Luc, le fils du boucher, qui lui faisait les yeux doux, était capable de profiter de la situation. D'essayer, du moins. Il avait la chance de vivre au village, lui. Je le connaissais, l'animal ! Autant dire que je n'avais pas confiance. Je le voyais déjà, une boule de neige à la main, en train de poursuivre Catherine, qui riait, les cheveux au vent. Pendant ce temps-là, moi, je serais enfermé ici, à me morfondre.

Man avait sorti une brioche du four, la cafetière chauffait au coin du feu, et il y avait une bonne odeur dans toute la cuisine. Nous nous sommes installés autour de la table. J'ai cessé de penser à Catherine, à Luc, à la neige. Je sentais dans mon dos la chaleur de la cheminée, je mangeais ma tranche de brioche, et j'avais oublié mes soucis.

J'aimais bien le dimanche matin, à la maison : Pa avec son gros pull-over et sa barbe en broussaille, qui buvait son café avec de petits ronronnements de plaisir ; Man dépeignée, souriante, en train de beurrer des tartines ; et Noémie qui se trémoussait sur sa chaise et finissait par renverser sa tasse. Je riais, elle trépignait et tirait la langue. Je riais plus fort. Pa criait : «Taisez-vous, scélérats !» On se réconciliait. Le chat venait se frotter contre nos jambes.

Comme la neige, trop abondante, ne me permettait pas de faire de la luge, je me suis dit que j'allais en profiter pour lire un roman, commencé quelques jours plus tôt: *Robinson Crusoé,* et qui me passionnait. J'étais arrivé au chapitre où Robinson découvre des traces de pas sur la plage et les regarde, éberlué.

En attendant, je suis allé soigner les bêtes. La chèvre, qui faisait toujours la folle quand elle me voyait, était dans un coin, adossée au mur d'une manière bizarre. Je me suis demandé si elle n'était pas malade, mais elle avait l'œil vif et le museau frais. Je lui ai caressé la tête, et je lui ai parlé un peu. Puis j'ai mis du foin dans les mangeoires, et je suis retourné dans la salle.

Au début de l'après-midi, la neige s'est un peu calmée, et nous sommes sortis pour déblayer le seuil. Pa allait devant, avec la grande pelle; moi, je le suivais, et je faisais de mon mieux pour évacuer les restes. On a réussi sans trop de mal à dégager la porte, les fenêtres et l'accès au tas de bois, contre la façade, puis on a commencé à creuser un passage à travers la cour. C'était plus difficile, à cause de l'épaisseur de la couche, et nous nous sommes vite fatigués. De temps en temps, Pa s'arrêtait, il s'appuyait au manche de son outil, et il regardait devant lui sans rien dire, en clignant des yeux pour se protéger des flocons.

– Tu n'entends rien, Simon? On croirait un bruit de moteur.

J'écoutais, en retenant mon souffle.

– Non, rien.

– J'espère pourtant qu'ils finiront par nous l'envoyer, ce chasse-neige!

Quand nous sommes arrivés au milieu de la cour, le vent s'est levé. A nouveau les flocons étaient plus gros et plus serrés. Maintenant ils tombaient de biais et venaient se coller contre nos canadiennes. De petites

avalanches se glissaient dans la tranchée. Si cela continuait, dans une heure nous aurions travaillé pour rien.

– On ne va pas plus loin, a dit Pa, ça n'en vaut pas la
peine. On peut rentrer se chauffer. Ah, j'entends quelque chose !

Cette fois, en effet, je percevais un vague grondement qui peu à peu s'est amplifié. Nous avons attendu,
mais c'était l'avion de cinq heures. Il est passé très haut,
invisible dans la tempête, il s'est éloigné vers le nord, et
le bruit s'est effacé.

Des paquets de neige tombaient, avec un bruit mou,
des sapins secoués par les rafales. Déjà il faisait presque
nuit. Man avait allumé dans la salle, et Noémie, le bout
de son nez écrasé contre la vitre, nous regardait.

– Tu es en nage, m'a dit Man. Va vite te changer !

Je suis allé dans ma chambre, et j'ai mis une chemise
propre. Ensuite, j'ai pris mes livres de classe, mes
cahiers, et je me suis installé dans la salle, devant la
cheminée.

Je n'ai jamais été très fort en mathématiques, et, ce
jour-là, je m'en souviens, j'avais un problème particulièrement difficile. J'ai relu plusieurs fois le texte, sans
très bien comprendre de quoi il s'agissait. Je savais que,
dans ce domaine, il ne servait à rien d'interroger mon
père, car lui aussi était brouillé avec les chiffres. Si je
lui avais posé des questions, il aurait d'abord pris son air
ennuyé – « Voyons, voyons… » – il aurait lu l'énoncé en
se grattant le front, et il aurait sans doute mis ses
lunettes, ce qui, chez lui, est un signe de perplexité ;
mais de tout cela il ne serait rien sorti.

D'ailleurs il était vautré dans son fauteuil, au

coin du feu ; il tirait sur sa pipe, et il avait l'air de réflé-
chir. On entendait le vent ronfler dans la charpente.
Parfois un petit nuage de fumée se glissait contre le
manteau de la cheminée et s'étalait au plafond.

Pa finit par se lever, et il s'approcha de la fenêtre qui
à nouveau était en partie obstruée.

– On a perdu notre temps, cet après-midi. Tout est à
refaire, et ce maudit vent n'arrange rien !

Il tendait l'oreille, et il devait toujours songer à son
chasse-neige.

– Ma parole, ils nous oublient !

– Si tu crois qu'ils n'ont que ça en tête, dit Man. Et
puis maintenant il est trop tard.

– Je vais quand même appeler le service de la voirie.

Il décrocha le visiaphone, appuya sur les touches. Il
n'y eut d'abord, sur l'écran, que des zébrures blanches,
puis un visage apparut et se tordit un instant comme
une flamme. Enfin l'image se stabilisa. C'était Monsieur Marmion, le cantonnier-chef, que je connaissais
bien, car il habitait juste à côté du collège, et quand je
le rencontrais, le matin, il me criait du haut de son
camion : « Salut, l'homme des bois ! » ou « Alors, les ours
ne t'ont pas encore mangé ? » Un bon vivant, disait Pa.

Mais, ce soir-là, il avait l'air fatigué et soucieux.

– Comment ça va, là-bas ? demanda mon père.

– Mal. Vraiment mal ! Ça n'arrête pas de tomber. Et,
avec ce vent, nous avons des congères. Les deux chasse-
neige sont sur la nationale.

– Vous pensez à nous ?

– On pense à tout le monde, mais pour l'instant on ne
peut rien faire.

– Demain matin ?

– Demain peut-être, si la tempête se calme. Pour

l'instant, ça n'en prend pas le chemin. Soyez patients !

– On a l'habitude.

– Je vais être obligé de vous quitter, dit Marmion. Il y a plusieurs poids lourds bloqués du côté de Relonges. Il faut que j'y aille. Bonne nuit à tous !

Il leva la main à la hauteur de sa tempe, et, sur ses traits tirés, passa une sorte de sourire.

– On n'ira pas à l'école, on n'ira pas à l'école... chantonna Noémie.

Là-dessus, je fermai mon cahier ; il n'y avait plus d'urgence, et je songeai que, si la neige continuait, Catherine serait peut-être, elle aussi, retenue chez elle.

L'horloge sonna sept heures. Le chat sortit de sous la cheminée, s'étira et bâilla. Le vent soufflait toujours par rafales, et elles devenaient de plus en plus fortes. Lorsqu'elles heurtaient le chalet, avec un grondement sauvage, on entendait vibrer les portes et craquer les poutres du grenier.

– Quel vacarme ! dit Man. Ça ferait presque peur. Si on regardait la télévision pour se changer les idées ?

– Si tu veux, dit Pa, sans enthousiasme.

Là aussi les images étaient brouillées, et l'on aurait pu croire qu'il neigeait sur l'écran. Peu à peu elles sont devenues plus nettes, mais les couleurs restaient grisâtres, comme si nous les avions perçues à travers un aquarium. Il s'agissait d'un documentaire sur Lunopolis et l'aménagement de la nouvelle base de fusées près de la ville. Rien de très passionnant dans tout cela ; la lune, on commençait à s'y habituer, mais j'ai quand même regardé l'émission, d'un œil distrait, en pensant à autre chose.

Ensuite, le speaker présenta le bulletin météorologique. Un flux d'air humide et froid, venant du nord, avait atteint l'Europe, provoquant d'importantes chutes de neige. Il neigeait sur toute la France, et plus particulièrement sur les reliefs où, à certains endroits, la couche atteignait plus de deux mètres. Aucune amélioration n'était prévue pour les vingt-quatre heures à venir. Le speaker ajouta que les intempéries avaient gravement perturbé la circulation, mais que toutes les mesures d'urgence étaient prises pour y porter remède. On nous montra alors des paysages presque sibériens, des files de camions immobilisés, des engins rouges qui crachaient leur jet de neige sur les talus. Le commentateur précisait, avec fierté, que nous possédions l'équipement le plus moderne, pourvu de radars, de sonars, d'ordinateurs qui...

A ce moment-là, l'électricité s'est éteinte, et il n'est resté dans la salle que la lueur du feu. Pa s'est levé, jurant et criant qu'il ne manquait plus que ça, mais que bien sûr il fallait s'y attendre, et que nous n'étions pas près de la revoir, la lumière ! Il est allé chercher une lampe à pétrole dans la remise, et, après l'avoir allumée avec un tison, il l'a posée sur la table.

C'est autour d'elle que nous avons pris le repas du soir, et je me souviens que, pour Noémie et moi, cela ressemblait à une fête, malgré la tempête qui tour à tour s'enflait et s'apaisait. Pourtant, lorsque je regardais mon père, je voyais bien, à son air soucieux, que cette panne d'électricité le tracassait. Man, je la trouvais encore plus belle, dans la lueur cuivrée de la lampe : les ombres modelaient son visage, ses yeux brillaient, ses cheveux dénoués retombaient sur ses épaules.

Lorsqu'elle nous servit la tarte qu'elle avait préparée, la bourrasque redoubla de violence, et la charpente à nouveau se mit à gémir comme un bateau secoué par une lame. Mais, en bas, les portes et les fenêtres étaient maintenant silencieuses, car la neige, poussée par le vent, les avait sans doute ensevelies.

– Ecoutez! dit soudain Noémie, la bouche pleine, en levant un doigt. Ecoutez, on croirait des loups!

– Des loups? Qu'est-ce que tu racontes là? dit Pa. C'est le vent dans le grenier. Des loups, quelle idée!

– Tu crois qu'ils reviendront?

– Non, je ne crois pas.

– Sébastien dit que si! Moi, je pense qu'il va neiger sept jours et sept nuits, et que les loups reviendront. Maman, est-ce que je peux encore avoir de la tarte?

– Tu manges trop, Noémie. Si tu grossis comme un petit cochon, les loups te mangeront.

Pa avait rallumé sa pipe, et il s'était versé un peu d'alcool, qu'il dégustait d'un air approbateur.

– Excellent repas, dit-il. Le meilleur de ma vie, comme toujours! Avec ça, nous allons pouvoir tenir.

J'écoutais les voix, le feu, le bruit du vent. Je pensais aux histoires de London et de Curwood, qui parlaient du Grand Nord. Je me mettais à rêver: une cabane de rondins, la nuit, le blizzard, le hurlement des loups. Avec la lampe à pétrole et le grondement de la tempête, l'illusion était parfaite. J'étais Roderick Drew, Bram Johnson, Henry ou Bill, j'allais affronter un hiver terrible, mais mon courage et ma force feraient merveille. Bref, j'étais prêt pour toutes les aventures.

IV

Le lendemain, c'était à nouveau le grand silence sur la maison. La tempête, qui avait fait rage pendant la nuit, s'était apaisée. Il faisait très noir dans ma chambre, et je me demandai quelle heure il pouvait bien être.

J'ai senti quelque chose près de moi, sur le lit, et tendant la main, j'ai découvert que c'était le chat. Il a poussé un miaulement plaintif, comme s'il avait été effrayé. J'avais sans doute laissé la porte entrouverte, et il en avait profité pour me rejoindre, sans que je m'en aperçoive. Cela ne lui était pas habituel, car ma mère nous interdisait de le garder près de nous, et d'ailleurs il semblait préférer la cheminée et la chaleur des braises. Je l'ai caressé à tâtons, il a poussé le même cri, puis il s'est pelotonné tout contre moi, et il n'a plus bougé.

J'ai appuyé sur l'interrupteur de ma lampe, mais je me suis souvenu que le courant avait été coupé la veille. J'ai fini par trouver la torche électrique, et, la dirigeant vers mon réveille-matin, j'ai vu qu'il était près de sept heures et demie. Cela voulait dire que je n'irais pas à l'école. En d'autres circonstances, cette histoire ne m'aurait pas déplu, mais, ce jour-là, c'était bien ma chance ! mon rendez-vous était manqué.

Par l'entrebâillement de la porte, j'ai aperçu une lueur dans la salle. Elle montait, hésitait, grandissait ; puis mon père est entré dans ma chambre, tenant à la main une lampe à pétrole. Il s'est penché vers moi.

– Ah, tu ne dors pas. Je ne t'ai pas appelé, ce matin.

Pas question d'aller en classe. Tout est bloqué. Je n'ai même pas réussi à ouvrir les volets.

– Et ils n'ont pas déblayé la route?

– Sûrement pas! Il doit y avoir d'énormes congères. Comme l'an dernier en novembre, tu te souviens?

– Oui, et on l'a attendu deux jours, le chasse-neige. Tu crois que ça va recommencer?

– C'est bien possible!

Il parlait à voix basse, sans doute pour ne pas réveiller Noémie; il hochait la tête, et la lueur de la lampe creusait de petites rides autour de ses yeux. Il est resté là quelque temps, immobile, comme s'il écoutait la nuit au-delà des murs.

– Quel silence! On n'entend vraiment plus rien dehors. Je vais monter dans le grenier pour voir ce qui se passe là-haut.

– Je peux y aller avec toi?

– Oui, si tu veux.

J'ai eu vite fait d'enfiler mon pantalon et un chandail, et j'ai suivi Pa dans l'escalier.

Le grenier occupe tout le haut du chalet. D'un côté le fenil, avec de gros tas de fourrage et de paille, de l'autre un vaste débarras où s'entassent de vieux meubles, des caisses et tout un bric-à-brac d'objets, laissés là par les précédents propriétaires. On y accède soit de l'intérieur, par un escalier ou par une trappe qui donne sur l'étable, soit, derrière la maison, par un portail auquel mène une rampe. Le chalet étant bâti sur une pente, les charrettes de foin qui venaient des prairies pouvaient directement y pénétrer.

Ce portail, nous n'essayons même pas de l'ouvrir,

puisque les épais battants pivotent vers l'extérieur, et qu'ils sont évidemment bloqués. Rien à espérer dans cette direction. En revanche, au sommet du mur, juste au-dessus du tas de foin, se trouve une fenêtre, et c'est vers elle que Pa aussitôt se dirige. Il dresse contre la paroi une échelle, qu'il a vite fait de gravir, tandis que je l'éclaire, en tenant à bout de bras la torche électrique. Je le vois se hisser sur une grosse poutre transversale, et là, ayant assuré son équilibre, tirer vers lui le volet. Une faible lueur s'infiltre dans la pièce.

Pa s'est penché vers l'extérieur jusqu'à mi-corps; je ne vois plus que ses jambes, puis je l'entends s'exclamer: «Ça alors, ce n'est pas croyable!» Bientôt il rentre la tête et il me regarde d'un air éberlué. «Pas croyable, non! La neige vient presque jusqu'au niveau de la fenêtre, et elle tombe toujours. Tu te rends compte? Cela veut dire au moins cinq mètres. Et cinq mètres, c'est quelque chose! Tiens, laisse ta lampe et monte!»

Il n'a pas besoin de me le répéter; déjà je grimpe à l'échelle, et je ne tarde pas à me retrouver en haut, près de lui. Il s'est écarté pour me laisser de la place, et tout de suite je tends le nez dehors.

Je sens le froid et le frôlement des flocons, mais je n'y prête pas vraiment garde, tant ce que je découvre m'emplit de stupéfaction et de crainte. En effet, la neige, amoncelée par le vent, a nivelé notre domaine, le rendant méconnaissable. J'ai, devant moi, un monde informe, et il me faut faire un effort pour imaginer que, sous cette masse blanche d'où n'émergent que les sommets des sapins et des mélèzes comme de maigres arbustes, sont ensevelis la route, le jardin et la cour où, l'avant-veille, mon père et moi avons travaillé à fendre le bois. La prairie et la montagne restent invisibles. Une lumière grisâtre, couleur d'étain, ajoute à l'étrangeté de la scène. On croirait que le jour ne parvient pas à se lever. Et il neige toujours, comme si cela ne devait plus finir.

Je tourne les yeux vers mon père, et je lis sur son visage que cette fois il est vraiment inquiet. Il hoche la tête, puis il pose une main sur mon épaule, en un geste qu'il veut rassurant.

– Tu as vu? Stupéfiant, hein? Pourtant elle s'arrêtera bien un jour.

– Et puis, quelle drôle de lumière!

– Oui, presque métallique... Maintenant on va descendre. Fais attention où tu mets les pieds.

Tandis qu'il ferme le volet, je regarde, en bas, la lampe posée sur le plancher et qui éclaire paisiblement le fenil. Elle me semble minuscule et pathétique. Soudain je la vois comme une dernière flamme obstinée, qui s'acharne contre la nuit.

Bien sûr, depuis que nous vivions sur cette montagne, nous nous étions habitués à la neige. Quatre ou cinq mois par an, cela permet de faire connaissance, et nous avions déjà essuyé pas mal de tempêtes, qui dressaient des congères contre la maison et parfois nous isolaient du village, mais jamais plus de quarante-huit heures. Le chasse-neige ne tardait pas à ouvrir la route, et la vie reprenait comme si de rien n'était. Jamais pourtant la couche de neige n'avait atteint une telle épaisseur, et jamais non plus le courant n'avait été coupé si longtemps. Il y avait donc cette fois – et nous avons commencé à le pressentir dès la matinée du lundi – quelque chose d'anormal. Oui, c'est le mot *anormal* qui m'est venu à l'esprit, mais je me suis dit qu'après tout ce n'était peut-être qu'une impression, et que tout finirait par rentrer dans l'ordre.

– Cette fois, ça risque de durer quelque temps, dit Pa lorsque nous eûmes regagné la salle. Deux ou trois jours, pas plus. Rien de grave, ne vous en faites pas. Il va falloir s'organiser, c'est tout!

S'organiser, oui, et il ajoute que le chalet est solide, que nous avons de quoi manger et nous chauffer. Bien sûr, les radiateurs électriques sont hors d'usage, mais nous nous sommes toujours servis de la grande cheminée, et la vieille cuisinière en fonte, dont Pa n'a jamais voulu se débarrasser, sera facilement remise en état de marche. Il suffira de laisser ouvertes les portes des chambres. Il y a du bois sec dans la remise, et, en cas de besoin, nous pourrons creuser la neige pour avoir accès au tas qui est contre la façade, et dans lequel nous puiserons comme dans une mine. Donc, pas d'inquiétude de ce côté.

Il faut également que nous veillions à ne pas manquer d'air, mais pour l'instant, là non plus il n'y a pas de péril. La fenêtre du grenier assure une ventilation suffisante, et, d'autre part, le conduit de la cheminée est toujours libre. Il est improbable que la neige parvienne à l'obstruer, puisque, quand bien même elle atteindrait cette hauteur, la chaleur ne manquerait pas de la faire fondre.

Le feu brûle droit, il ne fume pas, il éclaire la salle où mon père a allumé nos deux lampes à pétrole, car il dit que pour garder le moral il faut de la lumière. Il faut aussi s'occuper, ne pas se morfondre. Noémie aidera sa mère à la cuisine; lui fendra du bois et surveillera le feu; quant à moi, je prendrai soin des bêtes. Chacun fera son propre lit et rangera sa chambre. On balaiera la salle à tour de rôle, puisque l'aspirateur ne fonctionne plus. Et s'il nous reste du temps, eh bien, nous pourrons lire, dessiner, jouer, bricoler ; il ne manque pas de choses à faire ! Pour quelques jours, on peut se passer de télévision, de radio, d'électrophone, non ? Le visiaphone, en revanche, c'est ennuyeux qu'il soit coupé. On aurait pu bavarder avec les Jaule, les amis du village, savoir comment ils se débrouillent. Il faudra attendre.

S'occuper donc, voilà ce qu'il dit, Pa, et pour donner l'exemple, il installe son établi dans la salle. Il aura chaud, il travaillera à la main, puisque les machines sont en panne, et ce sera aussi bien, mieux même !

Et bientôt le voilà penché sur son étau, à manier la lime et la gouge, comme si de rien n'était et comme s'il n'y avait pas ces cinq mètres de neige dehors. Avec ses petites lunettes rondes à monture de fer, son visage attentif et ses gestes minutieux, il a l'air de l'un de ces artisans de jadis que l'on ne voit plus guère que sur les anciennes gravures.

Il est en train d'achever un cavalier ou plus précisément la crinière du cheval, longue et ondulée comme les cheveux d'une femme. La gouge creuse de fins sillons, et les copeaux minuscules tombent sur la table. Lorsqu'il travaille ainsi, mon père ne parle pas, il se concentre sur son œuvre avec un regard de maniaque. Parfois même il utilise une grosse loupe.

Ma mère lit, enfoncée dans un fauteuil. Noémie, accoudée à la table, dessine et suce son crayon. J'ai posé sur mes genoux *Robinson Crusoé,* que d'un doigt je tiens entrouvert, et je pense au chapitre que je viens juste de terminer : celui où Robinson, se promenant sur la plage,

découvre avec horreur les reliefs du festin des canni-
bales.

Je regarde le feu, les visages, les meubles qui luisent
dans l'ombre, au fond de la pièce. Je tends l'oreille,
mais, à part les craquements du feu et une poule qui
s'est mise à chanter au loin dans la remise, c'est
toujours le même silence.

Je m'approche de mon père, j'observe ses gestes,
l'outil, les copeaux qui s'enroulent sur la lame.

– Tu veux bien que je reste un peu à côté de toi ? Ça
ne te dérange pas ?

– Pas du tout !

Le cavalier est au repos. D'une main, il tire les rênes
invisibles, de telle sorte que le cheval, redressant la
tête, montre ses dents de manière farouche. Dans son
autre main, qu'il lève à la hauteur des yeux, il tient non
pas une épée, comme l'exigerait la tradition, mais un
héliotrope. Vu de face, le cheval donne l'impression de
rire. Ce sont là encore de ces bizarreries que mon père
adore.

Moi, ce joli monsieur et sa monture, je les trouve très
réussis, et je reste là, plein d'admiration, retenant mon
souffle, jusqu'à ce que mon père pose son outil et lève
les yeux.

Je dis :

– Il est superbe, ton cavalier !

– Ah, il te plaît.

– Oui, beaucoup. Et il rit, le cheval ?

– Une sorte de rire, oui, mais un rire triste. Tu as
déjà regardé la tête d'un cheval qui hennit et montre les
dents ? Il y a là quelque chose de terrifiant.

Et nous parlons comme cela de chevaux, du rire
triste des chevaux. Man émerge de son livre, et elle

nous raconte qu'elle en rêve souvent: ils sortent de terre par une fente, comme des fourmis, ils grossissent à vue d'œil, et ils s'envolent dans les nuages. Noémie demande: «Papa, tu m'achèteras un cheval?» La neige, nous l'avons presque oubliée.

Pourtant, lorsque l'horloge sonne quatre heures, mon père nous quitte, et, une fois de plus, il monte dans le grenier. Nous entendons son pas là-haut sur les planches, puis le grincement du volet.

Quand il revient, c'est toujours la même histoire: il continue de neiger, le vent ne souffle plus, la couche peu à peu s'épaissit, mais maintenant il commence à faire sombre, et, à vrai dire, ajoute Pa, on n'y voit plus grand chose.

Man se lève, et, comme elle l'a fait dix fois depuis le matin, elle tourne nerveusement les commutateurs, puis décroche le visiaphone, compose un numéro, attend, pose le récepteur en faisant une grimace.

– Ne te fatigue pas. Il faudrait un miracle! dit mon père. Et ce chasse-neige qui ne monte pas! Mais j'avoue qu'aujourd'hui ça ne serait pas facile.

Soudain il regarde sa montre puis l'horloge.

– Presque cinq heures! L'avion devrait passer. On l'entend bien de l'intérieur de la cheminée.

Il entre dans la cheminée, il écoute, et, comme le temps passe, il tire vers lui une chaise, sur laquelle il s'assied, le dos contre la muraille.

– Rien, dit-il enfin, pas le moindre bruit de moteur!

– Tu en es sûr?

– Tout à fait.

– Peut-être qu'il a changé de route, dit Man.

– Oui, peut-être…

Il a jeté quelques bûches dans le feu, en hochant la

tête. Un bouquet d'étincelles a jailli des braises. Le chat a fait un bond, et il a déguerpi sous la table.

Comme chaque soir lorsqu'il n'y avait pas d'école, je suis allé traire les bêtes avec mon père. Il disait que cela faisait partie de l'éducation, et qu'il était bien dommage qu'en classe on ne nous enseigne pas ce genre de chose.

Il a posé la lampe tempête sur le coffre où nous gardions le grain, et à bonne distance de la paille

– Il faut faire très attention, dit-il. Tu te rends compte, si le chalet brûlait !

– Comme à Chicago.

– Oui, comme à Chicago. Je vois que tu t'en souviens.

– Bien sûr !

Il m'avait raconté un jour l'incendie de Chicago, vers la fin du dix-neuvième siècle, je crois. Une ville en pleine croissance, grouillante, optimiste. Des émigrés çà et là élèvent quelques vaches, par nostalgie du village. La cité folle et la campagne cohabitent. Un soir, dans l'une de ces étables de fortune, une vache donne un coup de sabot dans une lampe à pétrole posée sur la paille. Le feu prend aussitôt et se propage. Il saute de ruelle en ruelle, de maison en maison, dont les fragiles structures de bois s'embrasent. Rien ne peut l'arrêter. «Essaie de voir, disait Pa. Trois jours et trois nuits, tu te rends compte?» Et il évoquait les flammes géantes qui se tordaient dans le ciel, les foules hagardes en fuite vers le lac, les pompes à incendie dérisoires, tout juste bonnes pour un feu de cheminée. Il parlait avec fougue, émotion, comme s'il avait lui-même assisté à cette catastrophe. «Tout y est passé, tout, et un an après, tout était reconstruit: plus grand, plus beau, plus solide!»

Quand il me racontait des histoires de ce genre, je l'écoutais avec passion, et je n'oubliais rien. Je le lui ai dit, ce soir-là.

– Bien sûr que je m'en souviens! Mais si le chalet brûlait, nous, on ne pourrait pas se sauver.

Pa s'était mis à traire la vache, assis sur un trépied, l'oreille collée contre le flanc de la bête. Il lui parlait tendrement, à mi-voix: «Allons, Io, ma belle, ne bouge pas, voyons. Sois sage! Tu ne t'ennuies pas trop, comme ça, toute la journée, dans le noir? Mais oui, bien sûr, tu le reverras, le soleil!» On aurait dit, à écouter son murmure, qu'il dialoguait, et qu'il entendait des réponses venues je ne sais d'où, des profondeurs de la bête, de ces cavernes pleines de cheminements et de rumeurs.

Le lait tintait contre les parois du seau, une odeur tiède se répandait dans l'étable. A mon tour, je m'étais installé près de la chèvre qui, après ses caprices habituels – brusques dérobades, coups de patte et de tête – finit par se laisser faire. Tout s'était calmé maintenant, et je n'entendais plus que le double giclement du lait, et parfois le cliquetis d'une chaîne contre l'auge. Une somnolence me gagnait, et, pour un peu, je me serais endormi dans la chaleur et l'odeur des bêtes. Oui, c'était un instant presque heureux, et il me semblait que la menace qui, tout le jour, avait rôdé autour de nous, peu à peu s'éloignait.

Enfin Pa s'est levé, et il a posé son seau près de la porte.

– J'ai terminé. Prends ton temps. Ensuite, tu leur donneras du fourrage.

Puis, après un moment d'hésitation :

– J'espère qu'elle ne te fait pas peur, cette neige.

– Non, pas trop. Si j'étais seul, je crois que j'aurais peur, mais avec toi…

– Bien, bien. Il va falloir patienter, c'est tout. Tu vois, ajouta-t-il en me montrant les bêtes, elles n'ont pas l'air de s'inquiéter. C'est bon signe !

Lorsque Pa est parti, j'ai fini de traire Zoé, puis j'ai nettoyé un peu la litière, et j'ai entassé le fumier dans un coin. Ensuite je suis monté dans le fenil, j'ai jeté par la trappe quelques brassées de fourrage dans l'étable.

J'ai gravi l'échelle, et j'ai ouvert le volet de ce qui était maintenant notre unique fenêtre. Elle était à demi obstruée. Et dehors, dans la nuit, il neigeait toujours.

V

Le lendemain matin, en entrant dans la salle, j'ai tout de suite senti que la situation ne s'était pas arrangée. Il suffisait de regarder la tête que faisaient mes parents. D'habitude, quand je venais déjeuner, ils me disaient, avec un sourire: «Tu as bien dormi? Tu as fait de beaux rêves?» ou d'autres gentillesses de ce genre. Mais ce jour-là, rien! Accoudés à la table, l'air soucieux, de toute évidence ils avaient l'esprit ailleurs.

J'ai demandé:

– Qu'est-ce qu'il y a?

Il y a que la fenêtre du fenil est complètement bouchée, a dit mon père.

– Et il neige encore?

– Comment savoir?

Nous sommes restés là, tous les quatre, à nous regarder en silence, et il me semble que c'est à ce moment-là, lorsque Pa nous a appris que notre dernière ouverture sur le monde extérieur était condamnée, que nous avons vraiment commencé à avoir peur.

Nous avions pressenti que, cette fois, l'assaut serait sans doute rude, mais nous étions persuadés que le chasse-neige, comme à l'ordinaire, viendrait nous délivrer. Pendant les premiers jours, nous avions guetté le bruit de son moteur, sur la route. Il n'allait pas tarder. D'abord apparaîtrait le feu orange, sur la cabine du chauffeur; puis, avec un grondement, l'engin attaquerait la dernière pente, en crachant la neige dans le sous-bois. Il s'approcherait du chalet, il tournerait à l'entrée de la cour. Monsieur Marmion mettrait le nez à la portière, et il nous saluerait de sa main gantée de rouge.

Mais le chasse-neige n'était pas venu, nous étions coupés du monde, et nous comprenions maintenant que, dans l'immédiat, il ne fallait plus compter sur des secours.

Mes parents connurent-ils l'angoisse, ce matin-là ? Je l'imagine, et je me souviens de leurs visages graves et des regards furtifs qu'ils échangeaient. Mais, pour ne pas nous effrayer, ils n'en montrèrent rien.

– Il ne faut pas que cela nous empêche de déjeuner, dit Pa, et, ouvrant son couteau, il coupa le pain, tandis que Man nous versait le café.

Je dois avouer que, malgré la situation, je mangeai de bon appétit. Ma sœur, elle, fit son petit gâchis sur la table, puis elle alla verser du lait au chat. Nous avions gardé nos habitudes.

A la fin du repas, je demandai :

– Qu'est-ce qu'on va faire ?

– Ce qu'on va faire ? dit Pa. Des tas de choses. Mais ça d'abord, oui, ça !

Et brusquement il se lève, il se dirige vers l'horloge, il la remonte avec soin. Puis il prend le calendrier des postes sur la cheminée, et, avec un crayon, il coche les jours.

– Samedi, dimanche, lundi, mardi. Voilà, nous sommes le mardi deux mars.

Il va remettre le calendrier à sa place. Il agit calmement, trop calmement. Il ne nous regarde pas. Il dit :

– Surtout, ne pas perdre le fil du temps !

Je le trouve bizarre. Je ne saisis pas très bien ce qu'il

raconte et l'importance qu'il a l'air d'attacher à tous ces gestes.

Man est restée assise près du feu, et derrière elle, dans l'ombre, je vois le balancier de cuivre de l'horloge, qui va et vient, entraînant le reflet des flammes. Quant à Noémie, debout, le chat dans ses bras, elle observe son père avec étonnement.

– Et vous, les enfants, dit Pa, vous vous souvenez de ce que nous a raconté le berger? L'hiver, quand les gosses du hameau ne pouvaient plus descendre à l'école, quelqu'un se chargeait de leur faire la classe. Eh bien, ici, ce sera moi!

Je ne détestais pas l'école, loin de là! mais j'avais espéré, comme l'eût fait tout galopin de mon âge, que cette neige me vaudrait quelques jours de vacances. Il y avait, bien sûr, le rendez-vous manqué avec Catherine, qui, au début, m'avait un peu tourmenté. Pourtant je m'étais vite consolé en me disant que rien n'était perdu, et que j'aurais bien d'autres occasions de la reconduire.

Ce qui me consolait aussi, c'était qu'au lieu d'avoir à me lever à six heures et demie pour attendre l'autobus dans la nuit et le froid, j'allais pouvoir faire la grasse matinée, et lire tranquillement mon *Robinson Crusoé* au coin du feu. Evidemment il me faudrait supporter la présence de Noémie, et ç'aurait sans doute été beaucoup mieux si j'avais été seul à me faire dorloter. Cependant je me disais que, même avec les criailleries de ma sœur, quelques jours de liberté, ce n'était pas désagréable.

Et voilà qu'aussitôt Pa avait décidé de nous remettre au travail!

– On commencera demain. Du français, de l'histoire. Vous m'apporterez vos livres, et moi je vous trouverai quelque chose dans la bibliothèque. On s'installera ici tous les trois.

Noémie, bien sûr, était pleine d'enthousiasme, et elle ne se gênait pas pour le montrer. Alors je n'osai rien dire, et, par diplomatie, je réussis à ne pas faire la grimace.

Maintenant, avec le recul, il me semble que je comprends mieux la réaction de mon père. Dans la prison où nous sommes, nous risquons d'échapper au temps. Donc il s'efforce de garder la tête froide. Il pare au plus pressé. Il remonte les horloges, il coche le calendrier, il organise l'espace qui nous reste : celui de la maison. Il assigne à chacun sa place et son rôle. Homme d'imagination, il pressent, ce matin-là, la menace du désordre, peut-être de la folie. Il ne dit rien ou presque, il commence un combat dont il sait qu'il sera sans doute long et périlleux.

Pa s'est approché de la table, il demande s'il reste un peu de café, et il en boit une tasse en réfléchissant.

– Bien ! Maintenant je vais essayer de creuser une ouverture dans la neige, à partir de la fenêtre du grenier. Ça ne devrait pas être trop difficile. Tu m'aideras, Simon. Il faut voir ce qui se passe là-haut. Et puis prendre l'air, respirer. Allons-y tout de suite !

Il jette une bûche dans le feu, et, sans plus tarder, il va chercher des outils dans la remise.

En rehaussant le tas de foin jusqu'au niveau de la fenêtre, et en y disposant quelques planches, nous avions installé une sorte de plate-forme sur laquelle nous pourrions travailler. Mon père tira le volet, puis, avec sa pelle, il attaqua la masse blanche qui obstruait l'ouverture. C'était une de ces neiges molles dont les montagnards disent qu'elles *ne portent pas,* et cela, d'une certaine façon, la rendait encore plus menaçante, car son épaisseur était telle qu'il serait sans doute impossible de s'y aventurer, même chaussés de skis.

Mon père remplissait des seaux, que j'allais vider en bas, dans une cuve. Il eut bientôt creusé une cavité d'un mètre de profondeur, dont il tassa les parois, puis il s'employa à forer une sorte de cheminée dans la partie supérieure. Il finit par être capable de s'y tenir debout, et il poursuivit son travail de mineur avec une truelle.

– Il me semble que je vois une lueur, dit-il enfin. Oui, là, juste au-dessus. Apporte-moi la petite échelle!

J'allai la chercher, et j'annonçai la nouvelle à ma mère et à Noémie, qui aussitôt montèrent de la cuisine. Dans cette maison qui, depuis plus de deux jours, était dans l'obscurité, le simple mot de lumière faisait merveille.

– Où? Où cela? criait Noémie, déçue de ne rien voir.

Je lui dis de m'aider au lieu de poser des questions: ce serait plus utile, et, pour le reste, il fallait attendre.

Nous réussîmes à hisser l'échelle jusqu'à la fenêtre, et mon père, tirant et poussant, la dressa dans la cavité. Elle n'avait guère qu'une dizaine de barreaux, mais cela suffisait, car, quelques instants plus tard, nous entendîmes Pa crier: «Ça y est, j'y suis!» et une lueur blanche apparut, tandis que glissait contre ses jambes une petite avalanche.

Puis ses pieds avaient disparu, et je l'entendais qui s'exclamait: «Ah, quel spectacle! Je n'ai jamais rien vu de pareil, mais enfin il ne neige plus!» Bien qu'il fût juste au-dessus de moi, sa voix me paraissait étouffée et lointaine.

– Non, il ne neige plus du tout, répéta-t-il. Mais quelle étrange lumière! Passe-moi quelques planches, Simon!

A force de tâtonnements, il finit par trouver le bord du toit, et, comme la neige, balayée par le vent, y était moins épaisse, il réussit à dégager un petit espace. Puis, déplaçant quelques lauzes, il dénuda des chevrons, et nous l'entendîmes clouer avec frénésie. C'était un travail difficile, et qu'il lui fallut près de deux heures pour mener à bien.

– Venez maintenant, dit-il, et, se penchant, il nous aida l'un après l'autre à nous hisser dans le boyau, et à prendre pied sur le fragile belvédère.

Le spectacle, en effet, était encore plus stupéfiant que la veille. La neige avait cessé de tomber, mais elle recouvrait tout le paysage, en effaçait les replis, et le rendait méconnaissable. Oui, c'était un autre monde, nivelé, simplifié, et sous cette vaste étendue blanche que la tempête avait modelée comme une houle, j'avais de la peine à situer le jardin, le pré, la route ou, plus loin, les crêtes et les vallées qui m'étaient familières. Au-dessus pesait un ciel bas, uniformément gris, mais comme phosphorescent. Le soleil restait invisible. Il n'y avait, dans l'air immobile, aucun signe de vie.

Je regardai mon père. Son visage était pâle et anxieux. Il me prit la main et la garda dans la sienne, tandis que Man et Noémie se serraient l'une contre l'autre. Soudain je sentis combien nous étions minuscules dans cette immensité, et l'image qui me vint à l'esprit, je m'en souviens, fut celle d'un album pour enfants que j'avais souvent feuilleté, et où l'on voyait, au pied d'une colline, une famille de souris sortant de leur trou. Nous aussi nous étions sortis de notre trou, nous allions bientôt y rentrer, et je me demandais, le cœur serré, comment tout cela finirait.

La cheminée qui fumait, à quelques mètres de là, dans la cuvette qu'avait creusée la chaleur, était la seule présence réconfortante : quelque part, un feu nous attendait.

Brusquement Noémie enfouit son visage dans la jupe de sa mère et se mit à sangloter.

– Qu'est-ce que tu as ? Allons, ne crains rien, dit Man. On va descendre, on restera bien au chaud dans la cuisine, et, dans quelques jours, la neige se mettra à fondre.

Mais Noémie continuait de pleurer.

– Ce n'est pas cela, répétait-elle.

– Mais quoi alors ?

– Où ils sont, les oiseaux ? finit-elle par dire. Et qu'est-ce qu'elles font, toutes les bêtes ? On ne voit plus rien, on n'entend plus rien. Ils sont tous morts ?

– Mais non, Noémie, ils sont comme nous, dans leurs tanières ou dans leurs nids. Ils attendent patiemment, et quand la neige aura disparu, ils ressortiront tous.

– C'est vrai ?

– Bien sûr, dit Pa d'un ton jovial. Un peu plus de neige ou un peu moins, ce n'est pas ça qui les dérange. Ils ont l'habitude.

J'avais l'impression qu'il n'en était pas tout à fait sûr, mais qu'il avait décidé une fois pour toutes de se montrer optimiste.

Il commençait à faire froid sur notre terrasse, et comme elle était trop branlante pour qu'on puisse y battre la semelle, j'avais hâte de me retrouver près du feu. Pourtant mon père semblait attendre quelque chose. Parfois il tendait l'oreille, il regardait le ciel puis sa montre.

Enfin il dit d'une voix calme :

– L'avion de cinq heures n'est toujours pas passé.

– Tu en es sûr ?

– Tout à fait sûr : il est cinq heures vingt. Ou bien il a changé de route ou bien il ne peut plus décoller. Or je ne vois pas pourquoi il aurait changé de route. Il ne viendra plus maintenant. On ferait mieux de rentrer.

Sur ce point, Pa ne fit pas de commentaires. Assis près de la cheminée, il tisonnait les braises, et, de temps en temps, il se penchait pour caresser le chat, mais je voyais bien que cette histoire d'avion le tourmentait.

Depuis que nous étions installés au chalet, nous l'entendions passer chaque soir. Quand il arrivait au-dessus de nous, il devait commencer à perdre de l'altitude, le sifflement des réacteurs se répercutait dans la vallée, et, par temps clair, on voyait le fuselage luire au soleil. Il venait de Marseille et se dirigeait vers Grenoble. Je regardais ma montre, je me disais : «Bon, il est à l'heure !» D'une certaine manière, cela me faisait plaisir. Oui, j'aimais bien le voir briller là-haut, tout seul sur les cimes. Et maintenant, plus rien. En y réfléchissant, cela ne pouvait signifier que deux choses : il était dans l'incapacité de décoller ou d'atterrir. Ou bien encore les deux à la fois. Cette fantastique chute de neige n'était donc pas limitée à nos montagnes, elle concernait toute la région, peut-être toute la France, et, pourquoi pas ? le monde entier. Là, j'ai été pris d'une sorte de vertige. Je voyais la terre paralysée, ensevelie sous une couche massive d'où n'émergeaient çà et là que quelques pylônes et quelques tours. Tout était immobile et silencieux. Les machines avaient cessé de fonctionner. Personne ne viendrait à notre secours.

C'est à cela que devait penser Pa, dans son coin. A vrai dire, je suis sûr qu'en cet instant il envisageait le pire, car, ce soir-là, secrètement, il commença à écrire, sur un carnet, ce qui ressemble à un journal de bord. Ce journal, je l'ai en ma possession, et, grâce à lui, j'ai pu me rafraîchir la mémoire, et situer avec précision des événements qui s'étaient un peu embrouillés dans mon esprit. Ce qui l'intéressait, mon père, ce n'était pas les prouesses littéraires. Ni effusions ni lamentations ni effets de style, mais des dates et des faits. De même qu'il remontait l'horloge, cochait les jours, distribuait les tâches, il éprouvait le besoin, chaque soir, lorsque nous étions couchés et qu'il se retrouvait seul, de faire le point.

Or, sur la première page, datée du 2 mars, après avoir résumé en quelques mots les événements des journées précédentes, il note qu'il a maintenant la certitude que nous sommes en train d'affronter une épreuve tout à fait exceptionnelle, et dont il se demande, avec angoisse, si nous parviendrons à la surmonter. Il ajoute qu'un certain nombre de signes lui donnent un sentiment d'irréalité : l'épaisseur inhabituelle de la neige, son éclat, sa consistance, la couleur du ciel, et bien sûr l'absence de l'avion, qui lui laisse penser que la catastrophe a frappé un vaste territoire. Il en conclut que, dans l'immédiat, et sans doute pour une assez longue période, nous ne devons compter que sur nous-mêmes.

On voit que, ce soir-là, devant le feu, nous avions des pensées assez proches, même si nous avions choisi, sur ce point, de garder le silence.

Quant à ma mère, elle devait bien, elle aussi, avoir ses idées, et je suppose qu'elles n'étaient pas plus réjouissantes, mais elle n'en fit rien paraître. Elle continua de sourire, d'aller et venir dans la maison, et de parler de choses et d'autres, comme si rien de particulier n'était arrivé.

Je dois dire aussi que, depuis que nous étions prisonniers, elle s'ingéniait à nous préparer d'excellents repas. C'était sa manière instinctive de réagir et de préserver notre moral. Et quelle fameuse cuisinière! A une époque où, dans la plupart des familles, les repas se réduisaient à un choix de conserves accompagnées de pain congelé et de Coca-Cola ou, pire encore! de produits synthétiques, elle n'avait que mépris pour ces vulgarités. Pour elle, la cuisine était l'un des beaux-arts, et elle la pratiquait non pas dans la tradition des palaces, mais dans celle du peuple, qui, seul, disait-elle, avait jadis possédé l'esprit et les secrets trop souvent perdus. Elle gardait, dans des cahiers jaunis et tachés, des recettes héritées de sa grand'mère et de ses grand'tantes, pour tout autre qu'elle à peine déchiffrables. Lorsqu'elle se mettait à son fourneau, l'œil brillant, la main agile, ses cheveux ramassés dans un foulard, il ne faisait pas bon s'approcher. Elle s'entourait d'un rempart de casseroles, de jattes et de pots, et nous écartait avec des gestes péremptoires. Nous n'étions admis à découvrir son œuvre que lorsqu'elle était achevée, et que nous nous retrouvions autour de la table, à respirer l'odeur appétissante qui montait des plats.

Pendant ces trois jours passés dans l'isolement et l'attente, les repas, qui nous réunissaient dans la chaleur de la cheminée, avaient été des moments heureux. La lampe éclairait les visages, et, tandis que Man nous servait tour à tour, nous suivions des yeux ses gestes. Mais nous ne commencions pas à manger avant qu'elle se fût servie elle-même et qu'elle ait repris son siège. Encore nous fallait-il patienter quelques secondes, car mon père, sans dire vraiment un bénédicité, avait coutume de se recueillir, jusqu'à ce que, d'un hochement de tête, il nous donnât le signal attendu. Alors, Noémie et moi, nous nous jetions sur la nourriture.

Ce soir-là, Man nous apporta une omelette aux cèpes, du petit salé avec des choux, du fromage blanc et ce qui restait de la tarte aux pommes: un festin plus digne d'un dimanche que d'un banal mardi. Pa l'a noté, sans commentaire, au début de son journal, comme il noterait par la suite toutes les remarques concernant notre nourriture. Mais il signale aussi, en conclusion, que nous avons épuisé notre réserve de pain.

C'est en effet ce que nous annonça ma mère quand le repas fut terminé.

– Quoi, plus de pain! dit Pa.

– Non. Nous avons terminé celui de la semaine dernière. Je pensais pouvoir descendre aujourd'hui au village.

– Est-ce qu'au moins il nous reste de la farine?

– Cinq ou six kilos. Et j'ai un peu de levure. Je vais préparer de la pâte, et je cuirai demain matin, dans le four de la cuisinière.

Elle connaissait tout, Man, et moi je la trouvais merveilleuse. Avec elle et Pa, j'avais l'impression que rien d'épouvantable ne pouvait nous arriver.

Pourtant, une petite phrase commençait à tourner de plus en plus vite dans ma tête: «Alors le pain vint à manquer...» Dans les histoires, les légendes, c'était l'annonce de la famine et du malheur. On mangeait les chats, les chiens, les rats. On rongeait des glands et des racines. Les vieillards mouraient d'abord, puis les enfants. Enfin les survivants finissaient par s'entre-dévorer.

J'entendais la chanson que me chantait ma mère quand j'étais petit :

«On tira-z-à la courte paille

Pour savoir qui, qui, qui serait mangé.»

A cette époque-là, elle me faisait rire, je disais : «Encore ! Encore !» mais maintenant, ce couplet, je le trouvais plutôt sinistre.

Man avait-elle senti que nous risquions d'être emportés par notre imagination ? Toujours est-il qu'elle eut vite fait de débarrasser la table, et que, versant de la farine et de l'eau dans une cuvette, elle se mit aussitôt à confectionner une pâte. Elle avait noué un tablier autour de sa taille. Parfois, lorsqu'une mèche retombait sur son front, elle la relevait avec son poignet, qui laissait à sa tempe une légère trace de farine. Elle travaillait de plus en plus lentement, comme si elle avait été prise de somnolence. Debout près d'elle, je regardais ses mains pétrir la masse molle ; et la douceur, la monotonie de ses gestes agirent bientôt sur moi comme un calmant.

Enfin elle divisa la pâte en quatre parties, et façonna des miches qu'elle recouvrit d'un linge. Posant un doigt sur ses lèvres, elle nous dit de les laisser reposer, comme s'il s'était agi d'enfants endormis.

C'est sans doute à cause de cette histoire de pain que mon père décida de faire l'inventaire de nos ressources. Oui, dit-il, l'inventaire ; et tout de suite il se lève, il ouvre la porte du placard, puis il va dans l'arrière-cuisine, et il revient avec une balance. Il approche les lampes, il fouille dans le tiroir et en extrait un cahier, une règle, un stylo. Il distribue les tâches: Man sortira les provisions, Noémie les transportera, et moi je pèserai ce qui peut être pesé. En un clin d'œil tout le monde est en place, même le chat, qui s'assied sur un coin de la table et observe avec intérêt ce remue-ménage. Pour moi, pour Noémie, c'est devenu presque un jeu. Nous oublions même de nous chamailler pour savoir qui fera ceci ou cela. L'accord parfait! Ma sœur tout sourire, et moi plein d'indulgence, même lorsqu'elle me marche sur les pieds ou renverse les haricots.

Pa s'est assis à la table, il a juché ses petites lunettes sur le bout de son nez, il tire des traits, et, lorsqu'il a fini, il nous regarde par-dessus les verres.

– Allez, dit-il, on attaque! Et de l'ordre. Pas de bousculade!

L'ordre, il y tient, et plus que jamais dans ces circonstances où l'on pourrait se laisser aller aux gémissements et aux idées noires. Dès qu'il sent se lever un souffle d'inquiétude, qui pour un rien pourrait se transformer en panique, il intervient, il calcule, il organise. Au fond, cet inventaire ne sert pas à grand'chose, car mon père connaît à peu près l'état de nos réserves, et ce n'est pas le fait de les mettre en chiffres qui les fera fructifier. Mais, comme les mots, les chiffres rassurent. Et c'est cela qu'il veut: nous rassurer, et sans doute se rassurer lui-même.

Alors il s'installe, il tire ses traits sans bavures, il ouvre des colonnes. Puis, quand tout est prêt, il commence à noter. Dans la première, le nom du produit; dans la seconde, la quantité; et la troisième, la plus large, servira à consigner, au fur et à mesure, ce que nous consommerons. Cela, il nous l'explique, il veut que tout soit clair.

Appuyé sur un coude, il écrit avec soin. Parfois il relève la tête, et il dit : « Bien. Ah ! très bien ! » lorsque la quantité dépasse ses espérances. Il doit aussi avoir quelques surprises fâcheuses, mais, dans ce cas, il se garde bien de montrer sa déception.

– Ça ira, dit-il, nous avons de quoi nourrir un régiment !

Le feu brûle plus bas dans la cheminée, le chat s'est endormi sur le coin de la table, et Noémie donne des signes de fatigue. Elle bâille et se frotte les yeux. De temps à autre, Man s'approche du bahut, elle touche du doigt la pâte, et elle dit que tout s'annonce bien, et que nous aurons du pain pour la semaine. L'horloge sonne neuf heures, mais Pa ne se laisse pas émouvoir : il veut terminer ce qu'il a entrepris. Nous garderons pour le lendemain la cave et le grenier.

Enfin, lorsque tout est noté, rangé, il ferme son registre. Puis, comme chaque soir, il coche le calendrier, règle sa montre, remonte l'horloge. Tout cela avec beaucoup de calme, comme quelqu'un qui sait où il va. Mais il nous faut encore nous occuper des bêtes. On entend les bêlements de la chèvre dans l'étable.

Ce soir-là, tandis que je trayais Zoé, je faillis plusieurs fois m'endormir. J'essayais bien de penser à Catherine, pour lutter contre le sommeil, mais tout à coup, je n'arrivais plus à me souvenir précisément de son visage, comme s'il avait été pris dans un brouillard. Mon menton retombait sur ma poitrine, et la secousse brusquement me réveillait. Une fois même je faillis renverser le seau.

– Eh, Simon, tu lambines, dit mon père. Dépêche-toi, encore un effort! Nous en aurons bien besoin de ce lait!

Lorsque nous eûmes terminé, Pa garnit les râteliers, et j'allai déposer les seaux dans la laiterie.

– Maintenant tu peux te coucher, dit-il, quand il m'eut rejoint dans la salle. Tu as été très courageux. C'est bien.

Il me donna une petite tape affectueuse, puis il se pencha vers l'âtre, et il recouvrit de cendre les braises.

Le lendemain, rien de nouveau, comme si le monde s'était immobilisé. Dehors, pas un souffle, le même ciel bas, gris sombre, et, à perte de vue, la lueur malsaine de la neige. Seul le froid était devenu plus vif, et lorsque je me hissai sur notre perchoir pour observer l'horizon, je fus vite glacé, et je ne tardai pas à redescendre.

Man avait allumé la cuisinière. Le feu ronflait dans le tuyau, et la bonne odeur du pain commençait à se répandre dans la salle. Quant à mon père, à peine le petit déjeuner achevé, il décida de poursuivre l'inventaire, et, cette fois, il m'entraîna de la cave au grenier. Je tenais la lampe, il ouvrait les coffres, les sacs, il notait sur son registre.

Lorsque nous eûmes terminé, il s'installa derrière la table, comme un conférencier, et il déclara soudain qu'il allait nous en donner lecture. Puis, après avoir fourragé dans sa barbe, d'un geste qui lui était familier, il se lança dans une longue litanie, qu'il agrémentait çà et là, et d'une voix plus vive, de quelques commentaires. Assis en face de lui, nous l'écoutions en silence, et, de temps à autre, Man se levait pour jeter un coup d'œil dans le four.

Ce registre, je l'ai récemment retrouvé dans les papiers de mon père, avec son journal de bord et le fameux calendrier. J'avoue que je ne les feuillette jamais sans émotion.

Je recopie tel quel le début de l'inventaire :

Farine : 5 kg
Riz complet : 3 kg
Sucre : 4 kg
Pâtes : 1,500 kg
Haricots : 6 kg
Lentilles : 2 kg
Confitures : 43 pots
Conserves : 25 bocaux et 13 boîtes (diverses)
Pommes de terre : 250 kg environ
Choux : 10
Carottes : 13 kg
Raves : 25 kg
Blé : 70 kg environ
Seigle : 60 kg environ
Avoine : deux sacs de 50 kg
Pommes : 20 kg
Noix : 15 litres
Champignons séchés : 1,400 kg
Miel : 3 kg
Porc salé et charcuterie : 8 kg environ
Vin : 15 litres dans le tonneau, et 26 bouteilles.

Suivait l'énumération de produits que nous possédions en petite quantité : huile, café, thé, chocolat, dont nous serions bientôt dépourvus. Nous avions également très peu de sel, mais, dit mon père, nous pourrions récupérer une bonne partie du bloc qui se trouvait dans la mangeoire de la vache. Il ajouta que, bien sûr, nous disposerions chaque jour des œufs de nos six poules, de lait, de beurre, de fromage, et que, dans l'ensemble, même si notre isolement se prolongeait, il n'y avait pas de raisons de s'alarmer. Quant à l'eau, qui provenait de la source, au pied de la montagne, elle continuait de couler, mais sans pression, puisque le moteur électrique ne fonctionnait plus. En cas de besoin, nous utiliserions de la neige fondue pour la toilette et pour les bêtes.

En revanche, ce qui l'inquiétait, c'était l'éclairage. Il ne nous restait plus guère qu'un litre et demi de pétrole, quelques bougies et les deux torches électriques. Dans trois ou quatre jours, tout serait épuisé, et nous n'aurions plus que la lueur du feu.

Jusqu'alors, nous avions laissé allumées nos deux lampes à pétrole, dont la clarté égayait un peu la salle. Ce luxe, nous ne pourrions plus nous le permettre. De mon côté, lorsque j'allais soigner les bêtes, je m'attardais auprès d'elles, et j'accrochais au râtelier la torche électrique qui procurait un semblant de jour aux prisonnières, car j'imaginais leur désarroi et leur tristesse dans cette nuit perpétuelle. A cela aussi il me faudrait renoncer, et je me contenterais de laisser ouverte la trappe du fenil, qui leur apporterait à la fois un peu d'air frais et de lumière.

Quant à nous, nous serions contraints de chercher refuge près de la cheminée, et de réserver les lampes aux instants de travail. Quatre jours au maximum, avait dit mon père. Que ferions-nous ensuite? Et comment poursuivre, à tâtons, les activités si nécessaires à notre survie?

Noémie, qui avait écouté en silence toute notre conversation, déclara soudain qu'elle avait vu, dans un vieux placard, au grenier, de petites lampes bizarres.

– Ce n'est pas de lampes que nous manquons, Noémie, dit ma mère, mais de carburant!

Mon père, par contre, avait pris un air très intéressé, et aussitôt il demanda à Noémie de lui montrer ses trouvailles. Il ne tarda pas à revenir, brandissant deux lampes de cuivre, couvertes de toiles d'araignées et de poussière.

– Sauvés! dit-il. Des lampes Pigeon!

Comme nous le regardions, perplexes, il nous expliqua que les ustensiles qui portaient ce nom pittoresque avaient été utilisés, au début du siècle précédent, et qu'ils fonctionnaient à l'essence. Or le réservoir de la voiture était presque plein, et il y avait dans la remise un bidon de dix litres. Ils nous assureraient des semaines de lumière.

Pa nettoya les lampes avec soin, les régla et les remplit d'essence. Ne se fiant qu'à moitié aux promesses de l'inventeur, qui certifiait son produit «inexplosible», il nous fit signe de nous éloigner, et, du bout du bras, il alluma une mèche. La flamme hésita un instant, crachota, puis s'éleva droite et lisse. Lorsqu'elle fut pourvue de son globe, une belle clarté se répandit dans la pièce.

C'est alors seulement que ma mère ouvrit la porte du four et qu'elle posa sur la table les quatre miches cuites à point.

J'espérais que, devant l'abondance des tâches, Pa avait oublié ses projets d'enseignement. Mais il n'en était rien. Dès ce jour-là, et bien qu'il fût sans doute fatigué des travaux de la veille, il nous ordonna d'apporter nos manuels de français et d'histoire. Après s'être renseigné sur les chapitres que nous avions déjà étudiés, il jeta un coup d'œil aux pages suivantes, fit la moue, et déclara que, au premier abord, tout cela ne lui semblait pas très excitant. C'était bien mon opinion, et je fus soulagé lorsqu'il ajouta que, pour les programmes, on verrait plus tard, et que, en attendant, on partirait à l'aventure. Aventure : c'était juste le mot qu'il nous fallait.

Aussitôt il va dans sa bibliothèque, il en revient avec une pile de livres, et la pose devant lui.

Je demande :

– Qu'est-ce que c'est ?

– Des romans, des poèmes, des choses que j'aimais à votre âge, et que je n'ai pas relues depuis longtemps.

– Ah, des poèmes ! dit Noémie, pour se rendre intéressante. Et aussitôt voilà mon père qui jubile.

Pourtant, ce jour-là, c'est *le Grand Meaulnes* qu'il choisit : le premier chapitre, dans lequel François Seurel raconte l'installation de ses parents dans l'école de Sainte-Agathe, et, quelques années plus tard, la mystérieuse arrivée de Meaulnès, un soir de septembre, avec la scène du feu d'artifice improvisé, sous le préau.

Mon père lisait d'une voix basse et grave ; parfois, entre les phrases, il s'arrêtait un peu, comme si les mots avaient réveillé en lui les souvenirs et les images. A l'écouter, il me semblait voir surgir la longue façade de l'école, la brume sur le jardin, et, dans le crépuscule brusquement déchiré par « la lueur magique », la silhouette des deux adolescents qui se tenaient par la main.

– Quelle simplicité ! Quelle justesse ! n'est-ce pas ? dit-il lorsqu'il eut achevé. Ce roman, c'est mon père qui m'en a fait cadeau quand j'avais douze ans. Il l'adorait, lui aussi. Un auteur bien oublié maintenant. On le trouve sentimental, démodé… Démodé! Comme ceuxlà d'ailleurs – et il nous montra la pile de livres: Giono, Jammes, Supervielle… Vous verrez. Des gens qui avaient du talent, du cœur, et qui le montraient. De nos jours, en littérature, on veut des ingénieurs, des techniciens, des informaticiens! Je me demande si notre époque n'est pas tout simplement en train de devenir bête. Eh bien, on va profiter des circonstances pour étudier tout cela. Etudier, c'est peut-être un grand mot. Au fond, je crois qu'il suffit de lire, et le reste vient de lui-même.

Pourtant je me rappelle qu'après nous avoir posé quelques questions sur le vocabulaire, le style, les personnages, il évoqua la Ferté d'Angillon et la Sologne: un pays d'étangs, de bruyères, de châteaux, où il avait voyagé, avec Man, lorsqu'ils étaient jeunes mariés. Il nous promit de nous y emmener pendant les prochaines vacances. Oui, c'était cela: on partirait tous ensemble, on visiterait les lieux décrits dans le roman. Pourquoi aller au bout du monde puisqu'on avait tant de merveilles à portée de la main?

Puis il nous parla de la vie d'Alain-Fournier, et ce qui me frappa tout particulièrement fut sa rencontre, àlors qu'il était lycéen à Paris, avec la belle jeune fille dont il ferait plus tard l'héroïne de son livre. Quand ils s'étaient séparés pour toujours, après leur unique promenade, elle avait dit: «Nous sommes des enfants!» Ces mots, que je trouvais mystérieux, me tournaient dans la tête, et, bien sûr, je pensai avec mélancolie à Catherine.

Enfin il nous résuma les événements de la Grande

Guerre, dont l'écrivain avait été l'une des premières victimes.

Ainsi, dans l'enseignement de mon père, se mêlaient, en toute liberté, le français, la littérature, la géographie, l'histoire. J'étais ravi, mais naturellement j'aurais préféré être son seul élève, car Noémie, toujours curieuse et impatiente, avait une manière bien à elle d'occuper le terrain, et il fallait agir vite si l'on voulait placer un mot. Pourtant j'avais choisi l'indulgence, et je crois que ma sœur y mit du sien : tout se passa sans querelle.

Pendant les deux heures que dura cette leçon, qui devait être suivie de tant d'autres, nous avions presque oublié la neige et notre isolement. Ou du moins avaient-ils cessé de nous peser. Aussi, lorsque Pa se leva et nous fit signe qu'il avait terminé, au lieu de pousser le soupir de soulagement qui, au collège, me venait aux lèvres à la fin de la plupart des cours, j'eus ce cri du cœur : « Déjà ! » dont je fus moi-même étonné.

C'est ce soir-là, me semble-t-il, que Man décida d'interroger les cartes.

Je dois dire que, depuis toujours, elles faisaient partie de notre vie. Dès qu'une difficulté surgissait ou que nous avions une décision à prendre, un voyage en perspective, un étranger à accueillir, ma mère allait chercher le paquet de cartes dans le tiroir du buffet. Elle les battait quelques secondes d'un air pensif, s'écriait : « On va bien voir ce qu'elles racontent ! » puis elle s'asseyait sur le tapis, et, nous intimant le silence, elle les disposait devant elle dans un ordre savant.

C'était un jeu ancien, que mon grand-père avait,

paraît-il, acheté à l'époque de la seconde guerre mondiale, et dont mon père avait hérité. Les figures en étaient naïves et fortement colorées. Sur le revers, au centre d'un damier, étaient représentés deux compas et deux équerres dont la disposition symétrique m'avait longtemps suggéré quelque requin, vu de face, la gueule ouverte. Il me semble les avoir encore sous les yeux. Lorsqu'on y posait les doigts, elles étaient légèrement poisseuses, et combien de fois, dans mon enfance, ne les ai-je pas reniflées, retrouvant alors une odeur un peu rance, qui était sans doute celle de la sueur de plusieurs générations.

Sur ces cartes, que nous utilisions aussi, Noémie et moi, pour jouer à la bataille ou pour bâtir de fragiles châteaux, je risquerais, je le sens, d'être intarissable. Il me suffit de les évoquer pour que surgissent en masse les souvenirs. Elles ont été égarées par la suite, et, d'une certaine façon, je ne m'en suis pas consolé. Toutes ces choses familières sont comme imprégnées d'existence; pour peu qu'elles disparaissent, j'y vois comme des signes de mort.

Depuis cet hiver terrible, je suis farouchement attaché à celles que j'ai pu conserver, et surtout à l'une des fameuses lampes Pigeon, qui ont joué un tel rôle dans notre aventure. Je la garde sur ma table de travail, il m'arrive parfois de l'allumer comme, en d'autres temps, on brûlait un cierge. Je la regarde, je rêve, là aussi je vois se lever des images.

L'autre, c'est Noémie qui la possède, et je sais qu'elle y tient autant que moi-même.

J'en reviens aux cartes et à Man. Parfois elle les consultait en silence, mais, le plus souvent, elle murmurait, maugréait, poussait des exclamations ou des soupirs; nous ne saisissions que des bribes obscures: «un obstacle», «une femme brune», «un fripon», «un homme haut placé», «ça finit par s'arranger», «bon, très bon», mais parfois aussi, plus rarement à vrai dire: «Ce n'est pas fameux!» Lorsqu'elle se taisait, l'air soucieux, je la soupçonnais de cacher le pire. Pa la regardait d'un air interrogateur. Elle haussait les épaules et retournait à ses fourneaux. Plus tard, il arrivait cependant, pour des raisons mystérieuses, que nous renoncions à un voyage ou à une entreprise. Y croyaient-ils vraiment, l'un et l'autre, ou bien était-ce, en quelque sorte, une manière de concrétiser leurs intuitions? J'avoue n'avoir jamais pu tirer la chose au clair, mais, quoi qu'il en fût, cela faisait planer sur notre existence une espèce de magie.

Ce soir-là donc, une fois le repas terminé, Man alla chercher ses cartes, s'installa sur le tapis, devant le feu, et elle commença le rite qui, vu les circonstances, ne manquait pas de gravité. Elle avait étalé sa large jupe autour d'elle, et, d'un geste qui lui était familier, rejeté ses cheveux sur sa nuque. Les flammes éclairaient son visage et le bras tendu vers le jeu qui se déployait devant elle. Mon père l'observait, immobile. Noémie, interrompant sa lecture, avait posé le livre sur ses genoux. On n'entendait que le léger bruit des cartes retournées, et parfois, dans l'âtre, le craquement d'une bûche.

D'abord Man ne dit rien, elle hoche la tête, puis elle murmure: «Je vois l'épreuve, encore l'épreuve… un retard… un grand obstacle… un drame, mais ailleurs… Pour nous, tout finit bien.»

Elle ramasse les cartes, les bat, recommence, et déclare qu'elle obtient une confirmation.

– Il faudra de la patience, du courage, mais la chance est toujours là : dix de trèfle, roi et as de cœur. Le signe de vie, la lumière. Nous n'avons rien à craindre.

Une mèche lui est retombée sur les yeux. Elle secoue sa chevelure comme une crinière, et se détourne comme si elle voulait dissimuler son visage, de telle sorte que, d'abord rassuré par ses paroles, je me demande soudain si elle ne nous a pas menti.

VI

Chaque matin, Pa était le premier à se réveiller. Il s'habillait, ranimait le feu, et aussitôt il montait sans bruit au perchoir, comme un capitaine se rend sur la passerelle pour observer la mer. Je l'imagine là, tout seul, avec sa peau de mouton et son bonnet de fourrure, à interroger le ciel et la neige.

Lui qui avait toujours aimé l'aube et cet instant de solitude où, m'a-t-il dit un jour, il se sentait plus proche du cœur du monde, je crois qu'il y cherchait maintenant la force d'affronter l'épreuve, et je me demande s'il n'adressait pas une sorte de prière aux dieux, qui, dans leurs desseins obscurs, semblaient s'être acharnés contre nous. Mais sans doute les dieux ne lui répondaient-ils pas. Il en revenait toujours déçu.

Il descendait, transi, dans la salle où le feu s'était remis à brûler. A huit heures précises, il agitait la cloche et nous appelait :

– Allons, Simon, Noémie, c'est l'heure ! Debout !

J'entendais ma sœur se retourner dans son lit, de l'autre côté de la cloison, et Man remuer les casseroles pour le petit déjeuner.

Elle demandait à Pa :

– Alors ?

– Toujours pareil, disait-il. Le même ciel gris, pas de soleil, pas de vent non plus.

– Il fait froid ?

– Oui. A ce compte, la neige n'est pas près de fondre.

Et puis, sept mètres, on n'a jamais vu ça. C'est à n'y rien comprendre !

– Chut, disait-elle. Parle plus bas. Les enfants.

J'avais beau tendre l'oreille, je ne percevais plus que des murmures. L'eau qui commençait à bouillir faisait tressauter le couvercle de la casserole ; le chat miaulait à ma porte.

Pour échapper à l'inquiétude qui, à ce moment-là, m'étreignait, je rejetais mes couvertures et me précipitais vers la salle.

La lumière, la chaleur, l'odeur du café me réconfortaient, et lorsque nous étions installés tous quatre près du feu, mes mauvaises pensées bientôt se dissipaient.

Comme, en effet, la situation menaçait de durer, Pa prit la décision de consolider et d'agrandir ce qu'il appelait la terrasse. Nous aurions un endroit plus confortable pour respirer et pour observer les environs, bien qu'il fût improbable que, dans l'immédiat, des secours nous parviennent.

Nous nous mîmes sans plus tarder au travail, en rassemblant les planches et les chevrons, qui, par bonheur, étaient assez nombreux dans le grenier. Il nous fallut aussi élargir le puits d'aération, qui ne nous permettait pas de hisser les plus grosses pièces. Cela exigea toute une journée de dur labeur, car la neige, toujours aussi poudreuse, avait tendance à s'effondrer, et seul un coffrage fut capable d'en affermir les parois.

Enfin ce fut fait, et, le lendemain matin, nous pûmes, sans trop de peine, transporter une partie des chevrons sur la plate-forme. Déblayer un pan du toit de la neige qui s'y était accumulée nous prit encore une bonne demi-journée. Bien que l'air fût parfaitement immobile, le froid assez vif rendait notre tâche malaisée, et de temps à autre nous allions rejoindre Man et Noémie dans la salle, pour nous réchauffer. Mais Pa, impatient d'en finir, ne tenait pas en place, et vite il m'entraînait à nouveau sur notre chantier.

Lorsque le champ fut libre, nous assemblâmes une armature, qui reposait, d'un côté, sur les lauzes du toit, de l'autre sur trois solides béquilles, clouées à l'extrémité des chevrons. Le tout fut arrimé avec des cordes à la base des cheminées et recouvert de planches. Nous disposâmes alors d'un espace d'environ quatre mètres sur trois, pourvu d'un garde-fou sommaire, et qui ressemblait assez à un radeau flottant sur l'étendue blanche.

Ce qui commençait à nous accabler cependant, c'était le silence et la solitude. De temps à autre, ma mère décrochait le visiaphone; elle ne pouvait s'en empêcher, même si cela ne servait à rien. D'un doigt nerveux, elle composait un numéro, secouait le récepteur, et restait là, l'oreille tendue, comme si elle avait espéré je ne sais quel miracle. Mais bien sûr l'appareil restait muet, et elle finissait par le poser, avec un soupir.

– Ah, si seulement on pouvait parler avec quelqu'un, entendre une voix, savoir ce qui se passe ailleurs! J'essaie d'appeler les Jaule, mais rien, toujours rien! Et le village, c'est pareil. Qu'est-ce qu'ils font, tous?

– Il faut patienter, disait Pa. Quelques jours. Une semaine peut-être. Ça ne durera pas éternellement. Pauvre Sébastien! J'imagine qu'il doit tourner comme un fauve en cage, lui qui était toujours à courir les bois.

Oui, j'aimerais bien le revoir. Trois kilomètres, ce n'était pas grand'chose, mais maintenant!

Communiquer avec les Jaule devint une sorte d'obsession, comme si notre salut en dépendait. Debout sur la terrasse, mon père, qui avait une voix puissante, poussait de longs cris en direction de la vallée. Les veines de son cou s'enflaient, son visage s'empourprait, le cri se transformait en râle. On aurait cru qu'un assassin invisible l'étranglait. «Arrête!» finissait par supplier ma mère, qui devait redouter le coup de sang. Mais il s'acharnait, hurlant encore sur trois notes: «Sé – bastien!» jusqu'à ce que, le souffle coupé, il fût contraint de s'appuyer au garde-fou.

Noémie et moi, nous prenions alors le relais, unissant nos voix aiguës, mais nous n'avions pas plus de succès, et nos appels se perdaient dans le désert.

Nous nous servîmes ensuite d'une vieille lessiveuse comme d'un tam-tam sur lequel nous frappions à tour de bras avec une bûche. Le vacarme était, pour nous, considérable, mais il ne devait pas porter très loin. Il n'eut pas d'autre résultat que de nous briser les oreilles.

Nous nous arrêtâmes, découragés. Tout à coup le silence me parut plus sinistre encore, et le ciel vide me donna envie de pleurer.

– Pourquoi ils ne répondent pas, les Jaule? dit Noémie d'un air candide. Peut-être bien qu'ils sont morts.

– Morts? Pourquoi est-ce qu'ils seraient morts?

– Je ne sais pas moi: écrasés, étouffés… Et le soleil, où il est, le soleil?

– Il reviendra bientôt, dit Man.

– Tu crois? Et s'il ne revenait pas?

– Tais-toi, Noémie. Ne dis pas des choses comme ça. C'est ridicule. Allons, il fait froid, on rentre!

Mon père pourtant ne renonce pas. Il réfléchit, il change de tactique. Il bourre de paille un pneu usagé, le fixe à l'extrémité d'une perche, puis il y met le feu. Bientôt une fumée noire s'étire sur la neige, stagne dans les creux comme une eau sale, tandis que se répand l'odeur âcre du caoutchouc.

Les yeux rivés à ses jumelles, Pa observe l'horizon, là où devrait se trouver le chalet des Jaule. Sa tête pivote lentement, son regard balaie les crêtes, puis s'abaisse vers l'échancrure où s'amorce la descente vers la vallée. Notre signal peu à peu s'effiloche et se dissipe. Au loin, rien n'est visible sur la neige.

Nous allumons un autre pneu, puis un autre encore ; et le jour commence à baisser. Soudain Pa s'immobilise, fasciné, dirait-on, par quelque chose, là-bas, qui m'échappe.

Il lève le bras, il crie :

– Regarde, Simon, dans le creux, on croirait... mais oui : une fumée !

Je tends le cou, j'écarquille les yeux, mais je ne vois toujours rien. Je dis :

– Où ça ? Je ne vois rien.

Il regarde encore, puis il me donne les jumelles. D'abord tout est flou, je tâtonne, je tourne la molette. Enfin apparaissent une courbe de neige, la cime tassée de quelques sapins.

– Un peu plus à droite !

Et là, en effet, il me semble distinguer une fine traînée plus sombre, à peine perceptible sur le gris du ciel.

– Tu vois maintenant ?

– Oui, il me semble que...

– Ah ! Et c'est du côté de chez les Jaule. Ils ont dû comprendre.

Il a repris les jumelles, il observe à nouveau, il dit qu'il faut répondre, oui, c'est cela, tout de suite, avant la nuit. Fébrilement, il allume un autre pneu. Nous attendons, côte à côte, les yeux fixés sur l'horizon. Les derniers débris se consument, et, peu à peu, tombent dans la neige avec des chuintements. Mais lorsque notre fumée se dissipe, on ne distingue plus rien sur les pentes, qui d'ailleurs se sont obscurcies.

Déçus, nous restons là pourtant, dans l'espoir de je ne sais quel miracle.

Je dis:

– Peut-être bien, après tout, que c'était seulement un nuage.

– Peut-être, oui, peut-être. Mais, tout à l'heure, j'aurais cru… C'est dommage. On recommencera demain.

Le lendemain était un dimanche, et cela faisait une semaine que nous étions prisonniers. Man nous prépara un festin, Pa tira un gros trait rouge sur le calendrier, et Noémie déclara que, une semaine, c'était bien long. Nous eûmes droit à un peu de vin, et cela nous mit d'assez bonne humeur.

C'est alors, je me le rappelle, que me vint une idée. J'étais, je l'ai dit, grand lecteur de romans d'aventures, et ceux dans lesquels London et Curwood décrivaient la vie des trappeurs canadiens me fascinaient tout particulièrement. Aussi, pendant ces quelques jours, avais-je souvent pensé à eux. Plus même, je m'identifiais à leurs personnages, qui, depuis longtemps peuplaient mes rêveries. J'étais Watson, perdu dans la forêt immense, ou Schmitt, le chasseur de peaux, qui, seul, dans sa cabane de rondins, attendait le printemps et la fonte des neiges. J'écoutais le sifflement du blizzard et la clameur des loups.

Or, je me souvins tout à coup que ces hommes des bois se déplaçaient sur la neige épaisse à l'aide de raquettes. Puisque nos skis ne nous étaient d'aucun usage, pourquoi ne tenterions-nous pas d'en fabriquer?

Je me voyais déjà parcourant la montagne. Je découvrais la cheminée de Sébastien, je frappais au tuyau: «Toc, toc, c'est moi, Simon!» J'entendais, en bas, des cris étonnés et joyeux: «Simon? Toi? Pas possible. Mais comment es-tu venu jusqu'ici?» Sébastien finissait par m'ouvrir la porte de son igloo, j'entrais avec une démarche de canard, nous tombions dans les bras l'un de l'autre.

J'allai faire part de mon illumination à mon père, qui, penché sur son établi, s'occupait à dégrossir un second cavalier. Il leva la tête, posa son outil et m'écouta avec attention.

– Intéressant. Très intéressant, dit-il. On pourrait en effet essayer. Mais comment diable sont faites ces choses-là?

Je n'en avais qu'une vague idée. Il me semblait qu'on les confectionnait avec du bois recourbé et des lanières de cuir. Oui, c'était cela! Dans l'un de mes romans, il y avait une gravure où l'on voyait les fameuses raquettes, appuyées au mur d'une cabane. Après avoir feuilleté une bonne partie de ma collection, je la retrouvai dans *la Loi du Nord,* et je m'empressai de la montrer à Pa. Elle n'était malheureusement pas très nette, et l'on pouvait douter que l'artiste se fût bien documenté, mais, malgré tout, elle nous procura quelques indications.

A nouveau nous allâmes fouiller dans le grenier où

Pa finit par trouver un vieux fauteuil de rotin, des ceintures et des brodequins, qui lui parurent convenir à notre projet. Aussitôt il se mit au travail. Il avait repoussé sur un coin de l'établi le cavalier inachevé, et, avec les montants du fauteuil, il façonna tant bien que mal le cadre des raquettes. Puis il les garnit de barres transversales, maintenues par les lanières, et, au milieu, il fixa solidement les souliers. Il s'affaira toute l'après-midi, s'absorbant à un tel point dans sa tâche que c'est à peine s'il entendit Man lorsqu'elle l'appela pour le souper.

Mon père a toujours été comme cela: dès qu'une passion l'occupe, le reste n'existe plus, et l'on a toutes les peines du monde à le ramener sur terre. Il vint se mettre à table en tenant son tranchet à la main, le posa près de son assiette, mangea distraitement, et il eut vite fait de retourner à son chantier.

Ses raquettes, de forme un peu irrégulière, avaient pourtant une assez belle allure, et elles donnaient une impression de solidité. Je les soupesai et les examinai avec admiration.

– Tiens, me dit-il, tu enduiras le dessous de graisse, pour que la neige n'adhère pas.

– Où as-tu vu cela?

– Dans ton livre!

Lorsque j'eus terminé, et que, de son côté, il eut renforcé quelques courroies, il soupira:

– Ah! j'aurais bien aimé les essayer tout de suite!

– Pourquoi pas?

– Regarde: presque dix heures! Il doit faire nuit noire. On verra demain. On se lèvera tôt. Promis! Je t'appellerai.

Il appuya les raquettes contre le mur, près du feu, et,

plus que jamais, j'eus l'impression d'être dans une cabane de trappeurs.

– Allez! dors bien, Simon, dit-il en m'embrassant. Ah, si seulement on pouvait réussir! J'en ferais d'autres paires pour toi, Man et Noémie.

– On irait jusque chez les Jaule.

– Oui. Pourtant ce qui m'inquiète, c'est la consistance de cette neige. Elle a bien un peu gelé, en surface, ces dernières nuits, mais, dessous, elle reste si légère.

– Tu as peur de ne pas tenir?

– J'ai quelques doutes. Mais qui sait? On peut toujours tenter l'aventure.

Nous prîmes chacun notre lampe, et, après un dernier coup d'œil à son chef-d'œuvre, nous allâmes nous coucher.

Mon père est accroupi sur la terrasse, en train de fixer les raquettes à ses pieds. Elles me semblent soudain très grandes, et il est certain que, pour progresser, il lui faudra écarter un peu les jambes. A huit heures, le jour ne s'est pas encore tout à fait levé. Dans le ciel sombre, on devine pourtant une vague tache livide, qui pourrait être le soleil. Man et Noémie, emmitouflées, se serrent l'une contre l'autre, tandis que j'aide mon père à nouer autour de sa taille la longue corde dont, par prudence, nous tiendrons l'extrémité.

Pa rabat son passe-montagne sur ses oreilles, puis, nous faisant un petit signe, lâche le garde-fou et quitte la terrasse. D'abord les raquettes s'enfoncent dans la neige, mais, assez vite, elles se stabilisent. Pa avance un pied, puis l'autre, et lentement il s'écarte du chalet. Sa démarche maladroite et sa canadienne, gonflée par les trois pull-overs dont il est revêtu, me font penser aux images floues des premiers hommes sur la lune, enregistrées jadis par des caméras approximatives. Et c'est bien la surface lunaire qu'évoque ce paysage mou et comme gommé, où tout vestige de végétation a disparu, laissant place à ce qui pourrait passer pour une poussière blanche.

Lorsqu'il s'est éloigné d'une vingtaine de mètres, toujours attaché à la corde qui le relie à nous, Pa se retourne et nous jette un regard qui semble exprimer à la fois une demi-réussite et l'inquiétude qu'elle soit remise en question. Il a maintenant dépassé l'emplacement de la cour, et il avance avec précaution et une lenteur croissante, les raquettes s'enfonçant de plus en plus à chaque pas. Puis soudain il s'incline, et il est contraint de s'arrêter. Il reste là, quelques secondes, dans un équilibre précaire, et il tente d'arracher la raquette de la faille où elle s'est enlisée, mais il ne peut y parvenir. Il penche de plus en plus; ses bras, un instant, s'agitent, et finalement il s'effondre sur le côté.

Nous poussons un cri, et, comme convenu en cas d'accident, nous nous mettons tous trois à tirer sur la corde, sans succès d'abord, car mon père a bel et bien disparu. Cependant, après quelques minutes affreuses, nous réussissons à le hisser hors de son trou. Sa tête émerge d'abord, puis sa poitrine, et, s'agrippant à la corde, il commence à ramper, tandis que nous tirons de toutes nos forces. Nous finissons par le ramener jusqu'à la terrasse, transi, épuisé, maugréant qu'il n'y a rien à faire avec cette satanée neige, que d'ailleurs il a perdu ses raquettes, et que ce n'est sûrement pas de cette façon-là que nous pourrons nous en sortir.

Man l'entraîne près du feu, et, avec le peu de rhum

qui reste, lui prépare un grog, tandis que, dépouillé de ses vêtements trempés de sueur, il se drape dans une couverture. Il demeure-là, sombre et muet, à remâcher sa défaite.

Enfin il se lève, avec un soupir, et il me fait signe de le suivre dans l'étable, pour traire les bêtes que, la veille, tout à notre projet, nous avons oubliées. Là, je remarque qu'il flatte distraitement le col de la vache, et qu'il ne songe même pas à lui parler. Lorsqu'il s'installe enfin sur son trépied, c'est à moi qu'il s'adresse.

– Eh bien, il va falloir se faire à l'idée que nous sommes prisonniers. Pas de chance, non, vraiment pas de chance! Et pourtant nous nous étions si bien préparés.

– J'aurais tellement voulu que tu réussisses!

– J'y ai cru, un instant, mais ça n'a pas duré. Vois-tu, Simon, il faut que je te dise…

Ni l'un ni l'autre nous n'avons commencé à traire, et Io, surprise sans doute de ce retard inhabituel, tourne vers nous la tête, et pousse un meuglement sourd.

– Je ne voudrais pas que tu t'inquiètes trop, dit mon père, mais tu es grand maintenant: tu peux me comprendre. Pourtant j'ai préféré ne pas en parler devant Noémie.

Il a tendu le bras, et il s'appuie sur l'échine de la bête.

– Ce que je veux te dire, continue-t-il, c'est que cette neige a quelque chose d'irréel, oui, c'est cela: d'irréel. Son épaisseur bien sûr, mais aussi sa consistance, sa légèreté… Je n'ai jamais rien vu de pareil, et, tout à l'heure, quand j'ai senti les raquettes s'enfoncer, j'ai eu l'impression d'être comme aspiré. Heureusement que vous étiez là, avec la corde. Je crois que, tout seul, je n'aurais pas pu revenir.

– Alors, tu penses qu'il n'y a rien à faire ? On ne peut pas encore essayer ?

– Pas de cette façon, en tout cas. Pour l'instant, il ne nous reste plus qu'à attendre.

A vrai dire, c'est ce que nous faisions depuis déjà dix jours, mais nos tentatives de signaux, puis la fabrication des raquettes, et l'espoir qu'elles avaient fait naître, aussi mince fût-il, nous avaient donné un nouvel élan. Pourtant nous avions échoué. Et mon père reconnaissait sa défaite.

A ce moment-là, plus que jamais, je sentis combien nous étions perdus, comme des naufragés, jetés sur un îlot, loin de la route des navires, oui, naufragés dans ce désert blanc. Ou pire encore, et c'est l'image qui me vint aussitôt à l'esprit, me plongeant dans une brusque terreur : la terre entière avait été engloutie, et, par une sorte de miracle, sans doute provisoire, nous étions les seuls survivants.

Dans les jours qui suivirent, nous commençâmes à éprouver une certaine difficulté à respirer. Notre unique fenêtre, que nous laissions ouverte pendant quelques heures, nous procurait un peu d'air, mais elle avait l'inconvénient de refroidir la maison. Quant aux «promenades» sur la terrasse, que mon père nous imposait, elles nous laissaient transis, et nous avions hâte de rejoindre le coin du feu.

Dans le chalet, les odeurs devenaient puissantes : celles de la suie, du pétrole, de la nourriture, et surtout du poulailler et de l'étable où la litière souillée peu à peu s'accumulait.

Man se plaignait aussi de celle du tabac, si bien que

Pa, lorsqu'il voulait fumer une pipe, se réfugiait à l'intérieur de la cheminée, assis sur un banc, le dos à la paroi; ou bien il montait carrément dans le grenier où il s'était aménagé une sorte de résidence secondaire, près de l'orifice du puits d'aération. Sans doute était-ce aussi, pour lui, une façon de se réserver quelques instants de solitude. Là, il avait rassemblé le vieux fauteuil de tante Agathe, un guéridon et quelques livres sur une étagère. Il s'installait, un volume au poing, les jambes croisées, et il lisait en tirant sur sa bouffarde. Je suppose qu'il en profitait aussi pour écrire en secret quelques mots sur son carnet de bord ou pour mettre à jour son inventaire. Quand le ciel n'était pas trop sombre, la lumière qui venait de l'extérieur était suffisante, mais bien sûr il n'y faisait pas chaud. Pa se levait, et il se mettait à marcher de long en large.

De la salle, nous entendions son pas au-dessus de nos têtes.

– Il est nerveux! disait Noémie, en regardant le plafond.

– C'est peut-être aussi qu'il a froid, s'inquiétait Man. Tout seul, là-haut, dans ce grenier! Va donc lui dire de descendre!

Nerveux, il l'était sans doute, malgré les apparences, et il le devint plus encore lorsque sa provision de tabac finit par s'épuiser. De cela, j'ai trouvé la trace dans son carnet: le compte à rebours. Trois paquets, deux, un, un demi, dix grammes. Puis rien, rageusement souligné. Il tournait comme un fauve dans la maison, grommelait, suçait sa pipe vide. Il était d'humeur farouche, et même Noémie ne trouvait plus grâce à ses yeux. Lui à l'ordinaire si paisible, il eut avec Man quelques querelles qui me consternèrent. Il se précipitait vers son établi, sculptait avec fougue, puis, laissant tout, il regagnait son refuge.

Il essaya quelques-unes des herbes qui séchaient dans le grenier: de la menthe, de la sauge, de l'armoise. Il eut des hoquets, des nausées. Il renonça. Puis soudain il se sentit mieux: «Je respire. J'ai l'esprit plus clair.» Il redevint aimable.

Il avait achevé son cavalier. Parfois il le posait sur la table, et, prenant la lampe à bout de bras, il faisait jouer les ombres. Le cheval riait et grimaçait tour à tour, l'air démoniaque, à demi cabré. L'homme qui le montait portait un masque d'oiseau et, sur son poing, une loutre. Nous demandions: «Pourquoi?» mais Pa ne voulait rien expliquer. Il prétendait que ces personnages lui venaient spontanément à l'esprit: des intuitions, des rêves, des souvenirs obscurs, et qu'il les accueillait sans chercher à comprendre.

Toujours est-il que ces cavaliers, nés de la nuit et de la neige, ont longtemps galopé à travers mes cauchemars, et que, maintenant encore, surtout depuis que j'écris ces pages, il m'arrive de les voir surgir, silencieux et menaçants, comme les fantômes de mes anciennes terreurs.

VII

C'est la farine qui d'abord a manqué. Au bout d'une semaine, les quelques kilos que nous possédions ont été épuisés. Par bonheur, les deux coffres qui se trouvaient à l'entrée de l'étable étaient remplis de grain pour la volaille : cent kilos d'avoine et soixante kilos de seigle environ. Si l'avoine, pour l'instant, ne nous paraissait pas très comestible, le seigle en revanche nous fournirait, à condition que nous trouvions un instrument pour le broyer, une farine acceptable.

Bien entendu, nous ne disposions d'aucune machine, mais, là encore, c'est dans le fouillis providentiel du grenier que nous découvrîmes la solution : un moulin à café de modèle ancien qui, après avoir été nettoyé, fut vite transformé en moulin à farine. Il suffisait d'y verser deux ou trois poignées de grain et d'actionner énergiquement la manivelle, pour obtenir une poudre grossière, qui tombait dans le tiroir situé au bas de l'appareil. C'était un travail lent et monotone, et qui exigeait une grande patience.

Que d'heures j'ai passées, près du feu, tenant le moulin serré entre mes genoux, à moudre interminablement cette graine dure, qui n'en finissait pas de traverser le broyeur ! Si, au début, cette nouvelle tâche m'avait plutôt diverti, elle devint bientôt une corvée contre laquelle il m'arrivait de protester.

– Je n'en peux plus. J'ai mal au bras.

– Tais-toi et tourne ! disait mon père. Ce n'est pas le moment d'être paresseux !

Mais, lorsqu'il voyait que j'étais vraiment fatigué, il prenait la relève.

Il fallait plus d'une heure de travail incessant pour obtenir un kilo de farine. Nous la passions ensuite dans un tamis, pour éliminer les plus grosses particules de son, qui d'ailleurs serviraient à nourrir la volaille. Cela occupait maintenant une bonne partie de mes matinées, et je consacrais le reste à soigner les bêtes et à nettoyer l'étable. L'après-midi était réservé à l'étude, sous la direction de mon père, la soirée à diverses tâches ménagères. Pas plus que les autres je n'avais l'occasion de m'ennuyer, et c'est dans ces circonstances que j'ai vraiment compris combien le travail peut occuper l'esprit et le détourner des idées moroses. C'était l'une des théories de mon père, qui, dans le passé, m'avait souvent paru ridicule, mais je commençais à lui donner raison.

Et puis, quelle récompense lorsque Man, après avoir confectionné la pâte dans la bassine qui lui servait de pétrin, l'enfournait dans la cuisinière, d'où sortait bientôt une bonne odeur ! Ce pain bis et compact, d'une saveur agréable, je le considérais comme mon œuvre, et je n'étais pas peu fier de ma réussite. Nous pouvions le conserver pendant des jours dans un linge, et, rassis, il était encore meilleur que frais. Il fallait alors le mâcher avec vigueur, ce qui, affirmait ma mère, était excellent pour la digestion. Lorsqu'il devenait dur comme de la pierre, mon père le cassait avec une hache, et nous le mettions à tremper dans la soupe ou dans du lait chaud. Cette nourriture massive mais substantielle constitua bientôt la base de nos repas, quand les autres produits se raréfièrent. En écrivant ceci, il me semble avoir dans la bouche le goût légèrement poussiéreux de ce pain, et je me promets, une fois de plus, de profiter, un jour, de quelques loisirs pour renouveler l'expérience. Il me suffirait de retrouver le moulin. Les gestes viendraient d'eux-mêmes.

J'appris de ma mère comment pétrir, modeler une miche, surveiller la cuisson. Elle m'enseigna aussi à préparer de la levure avec un morceau de pâte que l'on laisse aigrir. Je devins bientôt expert, et, dans mon enthousiasme, j'allai jusqu'à rêver de me faire boulanger.

Mais, selon les travaux et les heures, c'était parfois charpentier, cuisinier ou berger. Berger surtout, et non sans raisons. Comme beaucoup d'enfants de cet âge, j'avais l'imagination fertile, et des coups de cœur successifs, qui duraient ce qu'ils duraient. Ils ne me portaient certes pas dans le sens de l'époque, que fascinaient l'ordinateur, le robot et l'abstraction, mais ils m'ont permis de tenir, dans notre prison de neige. Si j'ai, plus tard, suivi une autre voie, je garde le respect des mains qui travaillent, et je sais me servir des miennes. Cela aussi, c'est à mon père et aux épreuves de cet hiver terrible que je le dois.

Oui, berger, pourquoi pas? Chaque soir, après avoir trait les bêtes, nous versions le lait dans des pots de terre, qui étaient ensuite placés à l'intérieur de la cheminée et couverts de linges. Nous obtenions, en moins de trois jours, un caillé de bonne qualité. La crème, enlevée à la louche, servait à fabriquer le beurre dans une antique baratte. Le reste, après avoir été égoutté dans des faisselles, était disposé dans la laiterie, sur des claies.

Etait-ce à cause du manque d'air ou de la température un peu trop basse, toujours est-il que nous produisions un fromage de vache assez médiocre. En revanche, le fromage de chèvre se révélait plus satisfaisant, bien qu'il eût tendance à virer au rouge, ce qui nuisait alors à son goût. Mais, l'appétit aidant, nous n'étions pas trop difficiles, et nous mangions le tout avec plaisir, sur des tranches de notre pain rustique.

Quant au petit-lait, dont Man assurait qu'il était excellent pour la santé, nous le buvions en partie. Ni ma sœur ni moi n'aimions sa saveur acide, mais, poussés par la nécessité et par les exhortations de notre mère, nous avions fini par nous y accoutumer. Le surplus passait dans la pâtée des poules et dans l'abreuvoir de la vache. Ainsi rien n'était gaspillé, et l'idée de ce cycle ininterrompu me paraissait réconfortante. J'y ai souvent pensé par la suite, comme au rythme même de la vie. Qu'un dément y fasse obstacle, tout se détraque et se corrompt.

Ma mère et ma sœur avaient la charge de la laiterie, qu'elles veillaient à garder très propre, car c'est un endroit que menacent les mauvaises odeurs. Je leur apportais de l'eau, et les aidais à laver leurs récipients. J'en profitais pour inspecter les fromages qui séchaient, bien rangés sur leurs claies, et je me rappelle que ce spectacle me plongeait dans une espèce d'attendrissement. Je les touchais du bout du doigt, je les comptais, et j'étais soulagé de voir que nous réussissions à toujours en garder une quarantaine en réserve. Avec cela, nous n'étions pas près de mourir de faim, même si la production de lait avait tendance à décroître. C'était une bénédiction d'avoir ces deux bêtes avec nous, et je songeais aux malheureux citadins, qui ne disposaient pas de tels atouts. Ils pourraient, bien sûr, puiser dans les stocks des grands magasins, mais parviendraient-ils à se frayer un accès jusqu'à eux ? Et, même dans ce cas, la source ne serait pas intarissable.

Naturellement, c'était surtout à Catherine que je pensais. Je la voyais amaigrie, le teint pâle, les yeux mouillés de larmes. Toujours belle, et combien émouvante! Comme par miracle, je franchissais les obstacles, je lui apportais un panier de victuailles. Son visage s'illuminait, elle tombait dans mes bras, elle s'en arrachait pour dévorer quelques fromages.

– Allons, tu rêves! disait ma mère. Débarrasse-moi donc de ce baquet!

Je sursautais; j'allais verser l'eau sale dans l'égout où elle tournoyait un instant avec un bruit de succion, avant de s'enfoncer dans les profondeurs.

Mon père, après avoir achevé ses cavaliers, s'accorda quelques jours de répit, mais bientôt il déclara qu'il allait sculpter la reine, et que ma mère lui servirait de modèle. Il voulait la représenter en marche, la tête fièrement dressée comme une figure de proue, et couronnée de sa seule chevelure.

– Là, disait-il, pose donc cette casserole, avance un peu vers moi, ne bouge plus. Parfait!

Il jetait sur un carnet de rapides croquis: une silhouette, un visage, une main, la courbe d'une épaule, les plis de la robe. Man se prêtait de bonne grâce à toute cette gymnastique, et, au fond, je voyais bien qu'elle était ravie.

Enfin Pa choisit dans sa réserve un bloc de buis particulièrement homogène, et il se mit sans plus tarder au travail. Entouré de ses esquisses, comme Man l'était de ses cartes lorsqu'elle les interrogeait, il s'employa à dégrossir l'ébauche, et peu à peu je vis naître sous ses doigts une forme encore imprécise, mais où déjà se devinaient l'harmonie et le mouvement.

Le chalet était silencieux. Parfois seulement Io meuglait dans les profondeurs de l'étable, ou bien une bûche s'effondrait dans l'âtre, et le chat sursautait, pour se rendormir aussitôt.

Lorsqu'il sentait la fatigue, mon père posait son outil, et, d'un air rêveur, il regardait Man aller et venir dans la pièce, comme s'il avait encore cherché à saisir au vol un geste, une attitude. Puis, à nouveau, j'entendais le crissement de l'acier dans le bois, et le léger bruit des copeaux qui tombaient sur le sol.

Si quelqu'un prenait la situation avec philosophie, c'était bien le chat! Il passait la plus grande partie de son temps dans la cheminée. Là, les yeux mi-clos, il restait accroupi près de la marmite, comme s'il avait surveillé la cuisson. Lorsque le feu baissait, il se redressait avec un bâillement, et il allait se glisser sous la plaque de l'âtre, où nous mettions des bûches à sécher. Il n'en sortait guère que pour boire du lait ou manger quelques restes, qui d'ailleurs se faisaient de plus en plus rares. Quant à la viande, nous en avions si peu que nous ne pouvions en distraire la moindre parcelle, même si je soupçonnais Noémie de faire, en cachette, de menues entorses au règlement.

Pourtant, au bout de quelques jours, Hector retrouva

son instinct de chasseur, qui s'était endormi durant les années d'opulence, et il se mit à écumer le grenier à la recherche des souris. Il lui arrivait de redescendre dans la salle en tenant dans sa gueule un petit corps gris tendre encore agité de soubresauts. Noémie jetait sur ce spectacle un regard pitoyable, et je la sentais douloureusement partagée entre son affection pour Hector et celle, à peine moins grande, qu'elle éprouvait pour ses victimes.

Un jour, je l'entendis même murmurer : « Pourquoi ? Pourquoi ? » Sans être le moins du monde insensible, je jugeais qu'elle se faisait bien du souci pour peu de chose, et qu'après tout il était dans l'ordre de la nature que les chats mangent les souris et que les souris soient mangées par les chats. C'est d'ailleurs ce que déclarait mon père, en des termes plus subtils, lorsque Noémie, les larmes aux yeux, l'interrogeait sur ce point. Il parlait d'écologie, de régulation, d'équilibre, et il ajoutait que, compte tenu du taux de reproduction de ces bestioles et de l'isolement dans lequel nous nous trouvions, le chalet ne tarderait pas à en être envahi si Hector n'y mettait bon ordre. Noémie hochait la tête et ne semblait qu'à demi convaincue.

Un jour, Pa s'aventura même à calculer la descendance d'un couple de souris dont rien ne viendrait contrarier l'élan vital. Peut-être s'embrouilla-t-il dans des comptes pour lesquels il était peu doué, mais le chiffre qu'il obtint était si considérable que l'on pouvait imaginer la maison pleine à craquer de rongeurs, qui nous étoufferaient avant de s'étouffer eux-mêmes.

Hector avait-il compris que l'on parlait de lui, et de manière élogieuse ? Toujours est-il qu'il sortit de son repaire et vint se prélasser sur mes genoux où je le caressai avec zèle, comme pour remercier la providence de nous avoir gratifiés d'un tel sauveur.

Dans notre solitude, il devait, à sa manière, jouer un rôle considérable, comme d'ailleurs les autres animaux que les circonstances avaient embarqués avec nous dans cette singulière aventure. Son assurance, son flegme, sa sérénité nous impressionnaient. Rien ne semblait pouvoir compromettre la grâce de ses attitudes. Dans ce petit monde clos où tout prenait valeur de signe, je me souviens du sentiment d'étrangeté que j'éprouvais en apercevant, dans l'obscurité de la resserre à bois, ses yeux qui brillaient d'une lueur verdâtre, ou bien, lorsqu'il lui prenait la fantaisie d'aller se jucher en haut de l'armoire, sa silhouette sombre et ramassée comme celle de quelque rapace. En revanche, quand il bâillait, ouvrant une gueule démesurée où luisaient des crocs aigus, c'est à une vipère qu'il m'arrivait de songer, avec un élancement de crainte, jusqu'à ce qu'il eût refermé ses mâchoires et retrouvé son apparence paisible.

Noémie, qui veillait sur sa santé, avait décidé de lui faire prendre l'air chaque jour. Le tenant sous son bras, elle le hissait avec obstination sur la terrasse où, flairant l'air froid avec dégoût, il ne tardait pas à lui échapper pour se précipiter au bas de l'échelle et disparaître dans le fenil. Son entêtement était encore plus irréductible que celui de Noémie, et il eut le dernier mot. Ma sœur finit par se lasser, même si, de temps à autre, elle faisait encore une tentative sournoise qu'Hector réussissait à déjouer.

Comme je le comprenais, Hector, avec ses ruses, ses refus et son goût pour le coin du feu ! La seule vue du ciel sombre, immobile, qui pesait sur la neige, me déprimait, et si mon père n'avait pas exigé que nous fassions chaque jour notre promenade au grand air, je crois que je serais resté dans la salle ou, mieux encore, dans mon lit, à prier que le sommeil me délivre de ce cauchemar.

Avec le recul, je vois combien mon père avait raison, et que la passivité, le renoncement étaient alors nos pires ennemis. Bien que ce fût à contre-cœur, nous lui obéissions et nous tournions en silence comme des bagnards dans une fosse ; mais, de plus en plus souvent, il m'arrivait de fermer les yeux.

VIII

Ce matin-là, je m'étais levé plus tôt que d'habitude. Avais-je perdu le sens de l'heure, ou bien était-ce l'intuition d'une présence insolite? Trouvant la salle encore déserte, je m'habillai en hâte et montai dans le fenil sur la pointe des pieds. Dès que j'ouvris le volet, une lueur comme d'incendie me frappa au visage, et j'eus vite fait de gravir l'échelle.

Le spectacle qui s'offrit à moi, après ces deux semaines de grisaille, me parut tenir du prodige. Le ciel, jusqu'à l'horizon, était envahi par une immense lumière pourpre, et, là-haut, sur la crête encore estompée par une brume légère, se détachait le disque sanglant et démesuré du soleil. Le paysage de neige s'était teinté de rose, l'air demeurait figé, quelques nuages fuselés se profilaient au zénith comme des navires à l'ancre.

Je restai là, bouche bée, avec un sentiment à la fois d'intense beauté et de crainte. L'impression d'irréalité qu'évoquait souvent mon père lorsqu'il parlait de la neige s'était singulièrement accrue, et il me semblait que quelque événement fabuleux allait se dérouler, pour notre délivrance ou notre perte.

C'est avec soulagement que je vis la tête de Pa émerger du tunnel. Il se hissa près de moi, s'appuya à la balustrade, et je compris, à son air effaré, que lui non plus ne savait que penser de ce changement.

Le retour du soleil, nous l'avions certes désiré, dans notre nuit, mais tout à coup sa taille et sa couleur sinistre nous inspiraient de nouvelles inquiétudes. Ce fut pourtant une date capitale, et Pa, bien sûr, l'a consignée dans son journal, sans toutefois trop s'attarder sur la signification qu'elle pourrait prendre. Il y voyait surtout la rupture d'une immobilité qu'il jugeait terrifiante, sans pour cela exclure l'éventualité de quelque catastrophe. Il ajoute que, lui qui a toujours cru aux *signes,* il ne parvient à déchiffrer celui-là, et que les cartes, aussitôt consultées en secret, ne fournissent que des réponses ambiguës. Dans cette lumière rouge, qui suggère aussi bien la naissance que la fin du monde, il ne nous reste donc plus qu'à attendre et prier.

Désormais le soleil se levait, chaque matin, avec le même éclaboussement de couleur, mais c'était un soleil froid, et la température ne dépassait pas le zéro. Pourtant nous séjournions plus volontiers sur la terrasse, et, lorsque l'inquiétude se fut peu à peu atténuée, je me souviens que j'éprouvais même un certain plaisir à sentir ses rayons sur mon visage. Tourné vers lui, je fermais les yeux, et il me semblait qu'une force neuve pénétrait en moi.

La neige, aveuglante, scintillait jusqu'à l'horizon, mais elle ne fondait pas, et le ciel restait vide. Lorsque Pa, tourné vers la vallée, hurlait le nom de Sébastien, sa voix sonnait étrangement, et vite se perdait dans le désert. Chaque soir aussi, sa montre à la main, il tendait l'oreille et guettait l'avion de cinq heures, mais, là non plus, rien n'apparaissait. Avec son entêtement habituel, Pa persévérait dans ses efforts, de même que Man, comme si elle avait espéré un miracle, décrochait de temps à autre le visiaphone, et composait quelques numéros. Toujours en vain, et, les jours passant, j'avais l'impression que l'un et l'autre avaient cessé d'y croire.

En revanche Pa profita de ces journées plus clémentes pour consolider et agrandir notre terrasse. Elle était jusque-là de dimensions très modestes, et nous avions à peine l'espace pour nous y tenir tous les quatre et faire notre ronde. A l'aide de planches, de chevrons et de cordes, il prolongea et élargit la plate-forme, qui, après deux jours de travail, atteignit la moitié de la longueur du chalet, c'est-à-dire à peu près sept mètres. Avec ses quatre mètres de largeur, elle nous procurait maintenant un vrai lieu de promenade où nous pouvions respirer et prendre un exercice salutaire.

Pa eut même l'idée de construire un petit abri, orienté vers le sud-est, véritable piège à soleil, où il disposa de vieux fauteuils. Chaudement vêtus, nous nous prélassions un instant sur leurs coussins, entre deux séances de gymnastique, et bientôt notre visage prit un hâle léger.

Cet assemblage hétéroclite de poutres et de planches, que Man, dans ses accès lyriques, appelait «notre jardin suspendu», me suggérait plutôt le radeau de Huckleberry Finn ou de Robinson Crusoé. Je rêvais de navigations aventureuses, je m'accrochais au bastingage et scrutais l'horizon, mais, sous le ciel rouge, la mer s'était figée.

Pa semblait avoir pris goût à cette architecture fantasque, et son marteau ne le quittait plus. Il installa successivement une petite station météorologique, pourvue d'un baromètre et d'un thermomètre, un dispositif de signalisation permettant d'enflammer un pneu dans une baignoire en zinc, dans le cas où un avion viendrait à passer, enfin une passerelle qui, partant de la terrasse, menait jusqu'à l'arrière du chalet. Elle nous aiderait à évacuer nos ordures ménagères et surtout le fumier des bêtes qui commençait à s'accumuler dans l'étable. Nous pûmes ainsi le monter dans des seaux jusqu'au grenier, le hisser sur la terrasse grâce à une poulie fixée au-dessus du puits d'accès, afin de le déverser dans la neige où, tiède encore, il s'enfonçait lentement. Pa, toujours ingénieux, avait calculé qu'au terme du dégel il irait juste se déposer sur le tas enfoui dans la cour, et qui servirait à fertiliser le jardin.

Il y avait donc, là-haut, tout un remue-ménage de marteaux et de scies. Chacun y participait, même Noémie, qui nous tendait les clous. Man parfois fredonnait *Pelléas* ou *Carmen*. Les heures passaient, nous nous absorbions dans notre tâche, et je crois que nous finissions par oublier, pour quelques instants, la menace qui pesait sur nous.

De plus, ce travail au grand air nous aiguisait l'appétit, et c'est avec impatience que nous attendions le moment où mon père, regardant sa montre, dirait: «Bon, on s'arrête, il est midi!» Alors, sans plus attendre, Noémie et moi nous précipitions vers la salle, dont l'obscurité maintenant nous surprenait. Vite j'allumais une lampe, tandis que Noémie s'occupait à ranimer le feu.

Que de jours nous avons passés, près de l'âtre, dans cette pièce basse qui nous enserrait et nous protégeait, comme l'une de ces cavernes où vécurent, pendant des milliers d'années, nos lointains ancêtres! Un rien, et je m'y serais cru! La pénombre, la lueur du feu, la muraille grossière, l'odeur de bois et de fumée, et jusqu'à la barbe de mon père, de plus en plus hirsute, auraient pu faire illusion.

C'est là que s'accomplissaient nos rites quotidiens: repas, travaux, conversations, lectures; peu à peu, prières; et le sentiment que nous éprouvions alors d'être si proches, unis comme en un seul bloc, nous donnait le courage d'affronter l'épreuve. Séparés, aurions-nous pu tenir? Mon père peut-être, mais j'en doute. A relire ses carnets, je vois combien notre présence le stimulait, lui qui, sous une sérénité apparente, connaissait parfois l'angoisse et le désespoir. Et sans lui, est-il besoin de le dire? sans son ingéniosité, sa persévérance, son amour, nous serions probablement partis à la dérive, vers un épouvantable naufrage. L'homme n'est pas un animal solitaire, même s'il est condamné – pour son mal plutôt que pour son bien – à des instants de solitude. Cela, j'ai commencé à le comprendre vers cette époque; j'y ai souvent songé par la suite, et je sais maintenant que ce sont nos liens qui nous sauvent. Moi qui, au début de l'adolescence, avais parfois regimbé contre la vie de famille, je suis revenu à de plus saines opinions. Oui, j'ai beaucoup appris, beaucoup changé, et ce n'est pas simplement une question d'âge. Les désastres sont de bons maîtres, bien que leurs méthodes soient rudes.

On voit que, pour un peu, je me mettrais à philosopher. Mais, philosophe, je ne le suis guère. Je me méfie trop des abstractions, toujours approximatives quand la vie est concernée, et je leur préfère les images: celles par exemple de notre caverne, dont je me rappelle les moindres détails, tant je les ai contemplés. Pas besoin de fermer les yeux pour rameuter les souvenirs: la cheminée noire de suie, les chenets aux formes barbares, la plaque du foyer légèrement de travers, la marmite sur son trépied, telle fissure de la paroi, telle fente de la poutre sur laquelle étaient posés deux pots de cuivre, trois pots de terre, dont l'un arborait un bouquet d'immortelles jaunâtres, poussiéreuses, que personne n'avait songé à mettre au feu, par superstition peut-être. Que je me retourne, en pensée, je vois l'horloge, les bancs, la table, le calendrier au mur, le buffet surchargé de vaisselle et de boîtes, l'établi de Pa dans un coin, la porte du fenil, et, accrochée à un clou, une vieille veste de fourrure, comme une bête pendue.

Je me laisse entraîner, je le sens bien, et, si je suivais mon cœur, je n'en finirais pas d'évoquer notre refuge, dont il faudrait dire aussi la tiédeur, les bruits, les odeurs parfois moins plaisantes, et que nous tentions de chasser en jetant sur les braises une poignée de thym ou de menthe.

Lorsque nous nous trouvions un peu à l'étroit ou que nous prenait l'envie de nous dégourdir les jambes, nous pouvions toujours voyager à travers le chalet, qui heureusement était vaste. Nous ne nous en privions pas, Noémie et moi. Selon l'état de nos relations, nous partions ensemble ou bien chacun de son côté. Noémie n'avait pas sa pareille pour s'évaporer. La croyant assise près de moi, je levais les yeux de mon livre, sa place était vide, elle avait filé je ne sais où, comme le chat. Ils avaient, l'un et l'autre, pattes de velours, et des yeux de la même couleur.

Pour nos escapades, nous avions à notre disposition les chambres, l'atelier de Pa avec ses machines abandonnées, la remise où étaient garés le tracteur et la voiture, l'étable, le poulailler, le bûcher, et, au premier étage, le fenil et surtout le grenier, qui, depuis que nous ne pouvions plus courir la montagne, était devenu notre territoire d'aventures.

C'est là qu'un jour je trouvai Noémie, agenouillée dans un coin où étaient entassés de vieux meubles et des piles de magazines. Elle me tournait le dos, et ne m'avait sans doute pas entendu entrer. A la lueur de sa torche électrique, elle semblait examiner quelque chose au milieu de ces décombres. Je m'approchai en silence, sur la pointe des pieds, mais lorsque je fus arrivé à quelques mètres d'elle, une planche se mit à grincer.

Noémie sursauta, et, faisant volte-face, elle me jeta un regard à la fois inquiet et furieux.

Je demandai :

– Qu'est-ce que tu fais là ?

– Rien. Laisse-moi !

– Si tu crois que je ne t'ai pas vue !

– Qu'est-ce que tu aurais pu voir ? Il n'y a rien, je te dis !

Elle s'était redressée, et, les bras en croix, elle me barrait le passage.

– Alors, laisse-moi regarder !

– Non, je te le défends. Tu n'as pas le droit. Va-t-en !

Elle avait pris le ton rageur et autoritaire qui m'agaçait plus que tout, si bien qu'au lieu de partir, comme elle me l'ordonnait, je continuai d'avancer. Elle s'agrippa à ma manche, mais j'eus vite fait de me dégager, et, la maintenant à distance, je dirigeai le faisceau de la torche sur tout le bric-à-brac accumulé devant moi, où d'abord je ne vis rien.

– Ah, lâche-moi ! Tu me fais mal, disait-elle, mais à voix basse, comme si elle craignait d'être entendue d'en bas.

Je finis par découvrir, au fond d'une caisse, un amas de papier déchiqueté, dans lequel je reconnus un nid de souris. A l'intérieur, se trouvaient cinq ou six nouveau-nés, gris-rose, de la taille d'un haricot, qui s'agitaient mollement.

– Ah, c'est donc ça: des souris! Qu'est-ce que tu fais? Tu les élèves?

Tout près du nid, on avait déposé un morceau de pain et une croûte de fromage, à l'intention sans doute de la mère; et, plus loin, une soucoupe avec un peu d'eau, dans le cas, je suppose, où elle aurait eu envie de boire. Elle pensait à tout, Noémie!

Se voyant démasquée, elle changea de tactique, et elle essaya de m'amadouer.

– Elles sont jolies, hein, tu ne trouves pas? Elles sont nées il y a quatre jours, mais elle n'ont pas encore ouvert les yeux.

– Quelles horreurs! Il faut tuer tout ça! dis-je férocement.

Aussitôt Noémie s'accrocha à mon bras d'un air suppliant. Je jugeais la situation très intéressante.

– Oh, non, tu ne feras pas ça, Simon!

– Eh bien, tu vas voir! Et puis je dirai à Pa à quoi tu passes ton temps, et comment tu gaspilles le pain. Tu veux que toute la maison soit envahie par ces sales bêtes, et qu'elles mangent nos provisions? C'est ça que tu veux, hein: nous condamner à mourir de faim?

– Mais, elles sont si petites!

– Petites, oui, mais tu verras quand il y en aura des centaines, des milliers, qui grimperont partout! On ne pourra même plus poser un pied par terre. Tu sais ce que Pa nous a raconté, l'autre jour.

Et, prenant un morceau de chevron qui traînait sur le plancher, je m'approchai du nid.

A vrai dire, je n'avais aucune intention de tuer. D'ailleurs, ces souriceaux, moi aussi je les trouvais charmants, mais, comme toujours, je ne pouvais résister au désir de tourmenter Noémie.

Elle s'était mise à crier:

– Non, non, arrête!

– Alors, qu'est-ce que tu me donnes si je les laisse en vie, hein, dis-moi!

– Je ne sais pas. Ce que tu voudras: ma calculatrice, mon transistor...

Je lui dis que, non, ça ne m'intéressait pas, et que d'ailleurs ces choses ne servaient plus à rien. Après avoir un peu discuté, nous avons fini par tomber d'accord: si j'épargnais les bestioles, Noémie ferait la vaisselle dix fois à ma place. Je promettais aussi de ne rien dire à notre père.

Une fois le marché conclu, Noémie, soulagée, recouvrit la caisse de planches, et vérifia qu'aucun animal ne pouvait y pénétrer.

– Je ne voudrais pas que Hector aille fourrer son nez là-dedans. Il y a un petit trou, en bas, pour la maman souris.

– Compliments! Je vois que tout est prévu. En effet, ton Hector, tu aurais beau dire, il n'en ferait qu'une bouchée. D'ailleurs il y a quelque chose qui m'étonne: je me demande comment, toi, tu peux aimer à la fois les chats et les souris.

Elle leva les yeux vers moi, et me regarda d'un air songeur.

– Oui, c'est quelque chose qui m'inquiète; j'y ai souvent pensé. Que Hector ne puisse s'empêcher de manger les souris, je trouve ça affreux. Il est si gentil. Mais au fond il ne sait pas. J'ai déjà essayé de lui parler, mais alors il fait semblant de ne pas comprendre. Tu te souviens de l'une des histoires que nous racontait Pa, quand on était petits? Celle du chat et des souris, qui avaient décidé de vivre en paix. Il y avait une souris qui s'appelait je ne sais plus comment, qui dormait même dans la fourrure du chat, et un jour qu'il avait une arête dans le gosier, elle était entrée *dans* sa gueule, avec une pince, pour la lui enlever. Tu te souviens?

– Bien sûr! et même que la souris, elle s'appelait Radegonde.

– Oui, c'est ça! Et quand elle sortait de la gueule du chat, il lui disait: «Je vous remercie *infiniment,* Mademoiselle!» Pourquoi est-ce que ça ne se passe jamais comme ça, dans la vie? Hein, pourquoi?

Elle me regardait toujours de ses yeux candides, et, la voyant si bonne, si sérieuse, je m'en voulais soudain de l'avoir tourmentée. Nous étions là, prisonniers sous des mètres de neige, à craindre le pire, et moi, l'aîné, au lieu de me montrer fraternel, j'en profitais pour persécuter cette gamine! J'avoue que je n'étais pas fier de moi, et je me promettais, à l'avenir, de ne plus écouter mes démons. Pour l'heure, je ne savais que faire, et je cherchais à me donner une contenance, en promenant le faisceau de la torche électrique le long des poutres où pendaient des toiles d'araignées.

– Pourquoi? répétait Noémie.

Je finis par lui dire:

– Allons, ne pense pas à tout ça! On n'y peut rien. Tu vois, les araignées aussi mangent les papillons, les oiseaux les araignées, les renards les oiseaux... Ça n'arrête pas. Au fond, il n'y a que nous qui ne sommes pas mangés.

Alors, Noémie, d'une voix grave:

– Peut-être, oui, peut-être... Et encore! Tu crois que, si rien ne change, elle ne va pas nous manger, cette neige?

IX

Pa est assis sur un banc, près du feu, toujours à gauche, le dos contre le mur : c'est sa place favorite. Au-dessus de lui, il a posé une lampe, sur la poutre de la cheminée, de telle sorte que la lumière tombe juste sur le livre qu'il vient d'ouvrir sur ses genoux. Il sort de sa poche ses lunettes, qu'il n'utilise guère que dans ces occasions ou pour son travail de sculpteur ; il les juche sur son nez, les verres inclinés, nous jette un coup d'œil par-dessus la monture, puis, ayant cherché sa page, il s'éclaircit la voix.

Le repas terminé, nous nous sommes installés autour de lui, un peu comme des acteurs qui, chaque soir, se prépareraient à jouer la même scène. Je suis en face de Pa, sur une chaise, de l'autre côté de la cheminée ; Man, les jambes croisées, ses cheveux dénoués, occupe le fauteuil ; quant à Noémie, elle a choisi bien sûr le même banc que Pa, pour être tout près de lui, et je songe, une fois de plus, que *naturellement* c'est elle qu'il préfère.

Il commence à lire, d'abord d'une voix sourde, mais peu à peu il s'échauffe, s'émeut : on sent qu'il vibre d'une passion intérieure. Pourtant il évite toute emphase, et seule sa main parfois esquisse un geste, souligne une phrase, accompagne le rythme des mots. Nous l'écoutons immobiles, retenant notre souffle.

Au début de notre installation à Valmagne, ces lectures du soir avaient été compromises par notre mauvaise grâce, notre turbulence, et surtout par les querelles, qui, pour une raison ou pour une autre, éclataient entre Noémie et moi. A cette époque-là, je la trouvais insupportable, mais maintenant, avec la distance, je crois que les torts étaient partagés. Toujours est-il que, malgré sa patience, mon père avait presque renoncé.

De temps à autre cependant, il faisait une nouvelle tentative, mais, un soir, ne pouvant obtenir le silence, il avait brusquement fermé le livre, et, se levant avec un air plus douloureux que courroucé, il était parti dans l'atelier, sans doute pour y poursuivre seul sa lecture. J'imagine qu'il souffrait de notre légèreté, comme je souffre rétrospectivement de m'en être rendu coupable. Mais peut-être étions-nous trop jeunes alors, trop excités aussi par nos courses dans la montagne pour, le soir, être capables d'attention.

En revanche, depuis que nous étions retranchés du monde, ces séances avaient repris une nouvelle vigueur. La radio et la télévision n'étaient plus là pour nous tenter. Le visiaphone était hors d'usage. Par la force des choses, nous ne voyions personne. Les mots devenaient notre seule ouverture : ils étaient comme des fenêtres et des trouées dans la muraille de neige. Désormais nous écoutions avec une sorte de gravité ce que nous lisait notre père, et Noémie ne tombait plus que rarement de son siège. D'ailleurs, quand cela lui arrivait, on sentait que c'était par inadvertance. Confuse, elle s'en excusait, avec une moue et des battements de cils. Quant à moi, je détournais les yeux, et je réussissais à ne pas éclater de rire.

Oui, lorsque j'y pense maintenant, je crois que toutes ces pages que nous lisait mon père nous ont été d'un grand secours. Elles nous détournaient de notre angoisse, mais surtout elles nous donnaient, d'une certaine manière, une leçon de courage, de patience et de sagesse. Vers cette époque aussi, je commençai à comprendre que la beauté des mots et l'émotion qu'ils me procuraient allaient jouer un rôle capital dans ma vie.

Ce soir-là, donc, il a choisi quelques chapitres des *Fioretti* de saint François d'Assise, dans un beau volume relié de toile mauve, avec un signet de soie : l'éloge de la pauvreté d'abord, puis l'histoire du loup de Gubbio, enfin le sermon aux oiseaux :

«Et il entra dans le champ et il commença à prêcher aux oiseaux qui étaient à terre ; et aussitôt, ceux qui étaient sur les arbres vinrent auprès de lui, et tous ensemble restèrent immobiles jusqu'à ce que saint François eût fini de prêcher ; et ensuite ils ne partirent même que lorsqu'il leur eut donné sa bénédiction. Et selon ce que raconta plus tard frère Massée à frère Jacques de Massa, bien que saint François marchât parmi eux et les touchât de sa tunique, aucun cependant ne bougeait.»

Nous aussi, nous connaissons les oiseaux, tous les oiseaux des champs et de la forêt : les corbeaux, les piverts, les bouvreuils, les huppes, les chardonnerets, les mésanges... Il nous arrive de leur parler, Noémie surtout, à voix basse ; elle prétend qu'ils l'écoutent et la comprennent. Elle nourrit les affamés, soigne les blessés, enterre les morts. Avec saint François, nous sommes en territoire familier.

Mon père lit encore :

«Et ces frères, ne possédant, comme les oiseaux, rien de propre dans ce monde, s'en remettent du soin de leur vie à la seule providence de Dieu.»

Pa s'arrête, il referme le livre ; puis il enlève ses

lunettes, d'un air songeur, et il écarte de la main une mèche sur son front.

Nous sommes sous le charme, et nous ne bougeons pas, nous ne disons rien, les yeux fixés sur les flammes. A nouveau, j'entends le battement de l'horloge.

Pa aimait que le silence et le recueillement prolongent ces lectures, sur lesquelles chacun pouvait méditer à sa guise, et je n'ai pas oublié non plus les instants où parfois, avant d'aller nous coucher, nous lui demandions de nous choisir quelques livres. Lui qui, les pieds sur les chenets, semblait perdu dans sa rêverie, devenait soudain attentif, comme si nous avions prononcé un mot magique. Il nous regardait alors avec une tendresse toute particulière, et, lorsque j'y pense maintenant, je crois qu'il se sentait soulagé, car il avait craint sans doute qu'à la manière de beaucoup d'enfants, en ce début de siècle, nous ne désertions les livres pour des futilités.

Il se levait sans plus attendre, et il disait:
– Eh bien, venez, on va voir cela!

Nous le suivions dans son atelier, où la bibliothèque couvrait presque entièrement les murs. Il tendait la lampe à bout de bras, et il la promenait le long des rayonnages en murmurant: «Voyons... voyons...» Les livres étaient pour la plupart brochés, avec des tranches jaunies et usées, car ils avaient beaucoup servi, et certains lui venaient de ses parents ou de tante Agathe. Pas de classement, ou bien alors si mystérieux que je n'ai jamais pu le saisir; mais Pa affirmait qu'ils étaient disposés dans un ordre secret, et je dois reconnaître qu'il s'y retrouvait sans hésitation.

Il prenait un volume, le feuilletait parfois, parcourait quelques lignes.

– Voici pour toi, Simon. Et voilà pour Noémie ! Je crois qu'ils vous plairont.

Il nous donnait une caresse affectueuse, et, nos livres sous le bras, nous retournions dans la salle.

– Ce sera pour demain, disait-il. Il se fait tard. Allez dormir maintenant !

Je sais gré à mon père de m'avoir fait partager son goût pour les livres, et cela à une époque où l'on ne considérait pas sans méfiance tout ce qui ressemblait à de la littérature. Le collège de Mareuil où j'étudiais était pourvu d'appareils de toutes sortes : magnétophones, magnétoscopes, ordinateurs, télévisions, et certains prétendaient que ces machines avaient réponse à tout et rendaient la lecture superflue. Quant à la bibliothèque de l'établissement, elle contenait surtout des ouvrages techniques ou de vulgarisation scientifique. La section réservée au roman et à la poésie restait mince bien qu'elle contînt un nombre non négligeable de volumes hérités du siècle précédent, et que l'on n'avait pas osé mettre au rebut. J'en étais l'un des rares amateurs et la fine couche de poussière qui les recouvrait montrait assez bien dans quel état d'abandon ils étaient tombés. Il est vrai que la plupart de mes camarades, gavés de mathématiques, de physique, d'informatique n'avaient plus le désir ni la force de se tourner vers les lettres. Tout ce qui faisait appel à l'imagination, à la sensibilité, au sens artistique ou esthétique leur paraissait inutile. « A quoi ça sert ? » rabâchaient-ils d'un air sceptique et parfois méprisant, et bon nombre de professeurs, même s'ils n'osaient pas le dire de manière aussi ouverte, n'en pensaient sans doute pas moins.

Bien que mes résultats dans les disciplines scientifiques fussent acceptables, on jugeait que, compte tenu de mes capacités, ils auraient pu être bien supérieurs, et que je gaspillais mon temps à des activités dérisoires. Je revois le froncement de sourcils et la moue agacée de mon professeur de mathématiques lorsque, découvrant sur ma table quelque roman de Balzac, de Zola ou de Gracq, il les feuilletait en silence avant de les remettre à leur place d'un geste dédaigneux. Il ne les avait pas lus, ne les lirait sans doute jamais, et il était évident que lui aussi les jugeait superflus. Avec l'air assuré de quelqu'un qui détient les secrets de l'univers, il se remettait à dicter son cours, qu'il nous fallait copier interminablement. Un ennui pesant peu à peu m'envahissait, qui n'avait d'égal que celui que j'éprouverais, pendant l'heure suivante, à pianoter sur les touches d'un mini-ordinateur, au milieu d'une trentaine de garçons et de filles hébétés.

Il y avait par bonheur quelques exceptions: Aldebert, qui enseignait l'histoire et qui parfois se hasardait à délaisser, quelques instants, l'économie pour nous entretenir de l'évolution des arts et des idées; et surtout Deslauriers, un jeune professeur de français, que ses collègues regardaient de haut, et qui, environné de tant d'étroits systèmes, ne devait pas avoir la vie facile. Je crois qu'il m'aimait bien, Deslauriers, parce que nous avions les mêmes goûts, les mêmes dégoûts, et que je le comprenais à mi-mot. C'est lui qui m'a fait découvrir des auteurs contemporains comme Pascal Renoux, Jean-Pierre Larcher, Richard Dorémont, dont il me prêtait les livres. Il me les recommandait avec une telle chaleur et une telle amitié que je lui demandai un jour s'il connaissait personnellement ces écrivains. «Pas au sens strict du terme, me dit-il, mais la meilleure façon de connaître un écrivain n'est-ce pas de lire ce qu'il a exprimé de meilleur en lui?» Il corrigeait mes devoirs avec un soin tout particulier, ne me passant ni les inexactitudes de vocabulaire, ni la moindre faute de syntaxe, ni les manquements à l'harmonie des mots et des phrases. Je lui dois, ainsi qu'à mon père, de savoir encore écrire, à une époque où l'écriture se perd ou bien se réduit à de pauvres jargons.

J'ai donc éprouvé, très jeune, la joie de pénétrer dans ces livres, qui à la fois vous touchent le cœur et déchaînent l'imagination. A l'époque dont je parle, je commençais de m'aventurer, avec l'innocence de l'enfant et la curiosité de l'adolescent, dans ce monde qui m'ouvrait ses merveilleux espaces, dont je pressentais, non sans quelque vertige, qu'ils étaient illimités.

Je me souviens pourtant d'avoir parfois déclaré à mon père que les livres m'étouffaient et qu'il y avait mieux à faire dans la vie. Ce n'est pas sans remords que je songe à ces paroles que me soufflait le démon de la provocation, et qui me venaient comme malgré moi aux lèvres. Mon père me regardait d'un air surpris et peiné, mais il choisissait de considérer mes remarques sous leur meilleur angle. «En effet, disait-il, il faut courir la montagne, jouer, respirer, observer les bêtes, les plantes, tout ce qui nous entoure. Ce n'est pas moi qui voudrais te voir enseveli sous les livres!» Ou bien encore je prenais des ouvrages médiocres, de ces récits pour adolescents que rédigent à la chaîne ou presque des tâcherons, et j'en célébrais les vertus à mon père qui m'écoutait en hochant la tête, avant de m'opposer ses arguments. Parfois je m'obstinais, il haussait les épaules, nous nous refermions l'un et l'autre, mécontents et malheureux. C'était là, je l'imagine, une façon pour moi d'affirmer, d'une manière maladroite et injuste, mes aspirations à l'originalité et à l'indépendance. Nos brouilles d'ailleurs ne duraient guère. Nous parlions d'autre chose, et ce n'étaient pas les sujets de conversation qui nous manquaient.

X

Trois semaines s'étaient écoulées depuis la tempête, et elles nous avaient paru interminables. Si mon père n'avait pas scrupuleusement coché le calendrier chaque soir, nous aurions peu à peu perdu le sens du temps. Les heures, les jours, les semaines : tout se serait brouillé dans notre tête. L'après-midi de février où Sébastien était venu nous rendre visite me semblait très lointaine. Souvent j'essayais de me souvenir de sa voix, de ses gestes, de ce qu'il nous avait raconté, assis près du feu, un verre à la main, mais déjà les images de cette scène m'échappaient. Oui, c'était le dernier être vivant que nous ayons rencontré, et qu'avait-il bien pu devenir ? Avait-il réussi à se réfugier dans son chalet avec sa famille ? Pa affirmait qu'il n'y avait pas de raisons pour que les Jaule s'en soient moins bien tirés que nous. Ils avaient des provisions, des bêtes ; Sébastien était un débrouillard, et de plus il connaissait parfaitement la neige, pour avoir passé toute sa vie dans la montagne. Pas un homme à se laisser surprendre ! Un jour, ajoutait Pa, il reviendrait s'asseoir, là, devant la cheminée, et l'on évoquerait cet hiver terrible. Il serait intarissable, Sébastien !

Lorsque mon père parlait de cette façon, sa confiance me faisait du bien et je souhaitais que ses prédictions se réalisent, mais je n'en étais pas tout à fait sûr.

Nous étions à la mi-mars et le printemps approchait. Pourtant rien n'avait changé, et la neige restait toujours là, pesante et immobile. C'était cela, l'immobilité et le silence, qui nous paraissait effrayant, comme si rien ne devait jamais plus s'animer. La seule différence était l'apparition d'une sorte de croûte à la surface de la neige, mais elle demeurait beaucoup trop mince pour que nous puissions nous y risquer. Depuis notre aventure malheureuse avec les raquettes, nous avions fait quelques tentatives en disposant bout à bout de larges planches, qui toujours finissaient par s'enfoncer sous notre poids, et nous avions dû renoncer.

Pa notait, chaque soir, la quantité de provisions que nous avions utilisée dans la journée, et je voyais, aux rides de son front, qu'il commençait à éprouver de graves inquiétudes.

Nous avions épuisé nos ressources de sucre, de café, de pâtes, fait une large brèche dans les conserves et le tas de pommes de terre, mais il nous restait la moitié de notre coffre de seigle, les quelques œufs de nos poules – toujours aussi rares en cette saison – et du lait en suffisance, même si le pis de notre vache commençait à se tarir. Les quatre ou cinq litres qu'elle nous donnait encore, ajoutés aux deux litres quotidiens de la chèvre, nous procuraient des rations appréciables de beurre et de fromage. Ajoutons à cela quelques kilos de porc salé, dont dorénavant, sur ordre de mon père, nous ne mangions plus qu'un morceau chaque dimanche, comme le faisaient jadis les paysans. Cette viande, accompagnée de pommes de terre bouillies, prenait des allures de festin, et je sentais combien la pénurie nous avait rendu le goût des nourritures essentielles, devant lesquelles auparavant il m'était arrivé de rechigner. A Paris, nous avions vécu dans un monde d'abondance, mais, j'en devenais conscient tout à coup, c'était une abondance insipide, et qui s'accompagnait d'un constant gaspillage. Mon père, qui sans doute avait essayé de s'en prémunir, n'y était jamais vraiment parvenu tant que nous habitions à la ville, et c'était pour fuir cela, entre autres choses, qu'il nous avait emmenés à la montagne. Bien sûr, il n'avait pu prévoir que l'expérience serait portée à cet extrême, mais du moins notre familiarité avec ce qu'au début de notre séjour il appelait en riant «la vie sauvage» nous avait préparés à affronter de telles épreuves.

Quant aux machines qui nous entouraient, elles étaient là, inutiles, et c'est à peine si, de temps à autre, et presque par inadvertance, l'un d'entre nous décrochait le visiaphone ou tournait les boutons de la radio et de la télévision. Mais comme les machines étaient chez nous beaucoup moins nombreuses que dans la plupart des maisons, qui en étaient truffées de la cave au grenier, nous apprenions sans trop de mal à nous passer d'elles. Oui, on s'y habituait peu à peu, et, d'une certaine façon, j'en éprouvais presque du soulagement.

En revanche, ce qui me manquait, c'était d'entendre des voix: je veux dire des voix venues de l'extérieur, qui nous auraient parlé de choses et d'autres, comme avant: celle de Sébastien, de Monsieur Marmion, et surtout celle de Catherine.

Lorsque j'allais encore en classe, il lui arrivait de me téléphoner pour me demander un renseignement sur un devoir de français ou un problème de math. Et Man disait: «Qui était-ce?» – «Une camarade d'école.» – «Qui ça? Catherine?» J'hésitais, j'avais envie de mentir, je disais pourtant: «Oui, Catherine.» Et il me semblait que je me mettais à rougir. Je détournais la tête, j'en voulais soudain à ma mère de ne pas respecter mon secret. Du moins le croyais-je, à tort sans doute, car elle avait dû me demander cela machinalement, pour parler, et déjà elle pensait à autre chose, elle s'était à nouveau plongée dans son livre. Personne ne s'occupait plus de moi, et je pouvais rêver à ma guise, penché sur mes cahiers.

Pourtant, la dernière fois que Catherine m'avait téléphoné, Noémie, qui devait avoir ses renseignements, s'était mise à chantonner : « Simon est amoureux de Catherine », et j'avais aussitôt réagi en la traitant de sale bête et de vipère, avec une rage qui ne pouvait que me trahir. Mais, là non plus, personne n'avait insisté ; Pa m'avait simplement crié de me taire.

Cela aussi me paraissait lointain, comme la visite de Sébastien Jaule, mais j'avais si souvent pensé à Catherine, pendant ces trois semaines, tandis que je m'occupais des bêtes ou que je tournais le maudit moulin, qu'elle était devenue une présence. Je me sentais moins seul, elle me tenait chaud au cœur. Dix fois par jour, je prenais la photo de classe, et je regardais Catherine à la loupe. J'écrivais même des lettres dans lesquelles je déclarais un amour que je n'avais jamais osé lui avouer. Puis, de peur que Noémie n'aille fureter dans mes affaires, je les enfermais à clef dans un tiroir. Je les ai retrouvées, et bien sûr elles me font sourire : elles me semblent un peu ridicules, pleines d'emphase et de déclamation, mais j'y sens encore rôder la passion qui m'occupait alors. Car on a de vraies passions à cet âge, qui se nourrissent d'un regard, d'une main furtivement serrée, parfois d'un baiser timide ou d'une caresse. La mienne, dans cette prison, flambait chaque jour plus haut. Je prêtais à Catherine tous les charmes; je la mêlais aux héroïnes des romans; chaque soir je l'incluais dans mes étranges prières. Lorsque j'y pense, je crois qu'elle m'a aidé plus que tout à supporter de si longues et dures épreuves: c'était pour elle que je voulais vivre.

Mais il m'arrivait aussi, et surtout à cette époque où, malgré les propos optimistes de mon père, notre libération devenait de plus en plus incertaine, de la voir morte, enfouie dans la neige, au milieu du village dévasté. Je me souviens d'avoir pleuré pour elle, pour moi aussi, et pour Man, Pa et Noémie. Tout à coup, moi qui ne croyais pas en Dieu, j'ai dit: «Mon Dieu, sauvez-nous!» Je me suis relevé, j'ai appuyé la photo sur la table de nuit, j'ai allumé une bougie et je l'ai posée devant, comme un cierge.

Puis brusquement le temps a changé – Pa l'a noté dans son journal – mais ce n'était pas de la manière que nous espérions. L'étrange soleil qui, pendant deux semaines, n'avait cessé de briller de sa lueur rouge, est devenu invisible. Un matin, au lieu du ciel pur auquel nous nous étions habitués, et dont la transparence d'une certaine façon nous réconfortait, nous avons découvert un plafond bas, pesant, couleur de lave. Pas un bruit, pas un souffle de vent. A neuf heures il faisait encore très sombre, et seule montait de la neige une clarté sinistre. Consternés, nous regardions cette masse de nuages, semblable à une meule prête à nous broyer, et je pensai que si elle présageait une autre tempête, nous risquions cette fois d'être tout à fait ensevelis.

Même dans les circonstances les plus critiques, Pa avait toujours su trouver des paroles d'espoir ; pourtant, ce matin-là, il resta muet, et, pendant quelques secondes, je lus l'accablement sur son visage.

Toute la journée, nous montâmes tour à tour sur la terrasse pour observer le ciel, et chaque fois nous redoutions de découvrir une couche de neige fraîche. Rien de tel ne se produisit. Nous aurions dû en être soulagés, mais la pesanteur, l'immobilité de l'air étaient si grandes que nous sentions planer sur nous une épouvantable menace.

La nuit est tombée très vite, comme au plus profond de l'hiver, et lorsque, avant le repas, mon père m'a demandé d'aller en haut jeter un coup d'œil, je n'étais vraiment pas rassuré. Quand je suis arrivé au sommet de l'échelle, j'ai tendu la lampe tempête à bout de bras, sans même poser le pied sur la plate-forme, et, avec un frisson, je suis redescendu sans demander mon reste.

J'ai dit :

– C'est toujours pareil. Il fait très noir, on ne voit pas grand'chose, mais il ne neige pas.

– Bon. Pourvu que ça dure ! Tu n'as pas mis longtemps !

– Il fait froid là-haut.

– Tant mieux, ce n'est pas mauvais signe.

Pourtant notre moral était atteint, et, ce soir-là, nous avons soupé, la tête basse, sans presque échanger une parole.

Il me semble qu'alors nous nous enfonçons encore plus dans le cauchemar. Allongé sous mes couvertures, j'ai dit mon espèce de prière : «Faites qu'il ne neige plus!» Puis: «Protégez Catherine!» Enfin: «Donnez-nous du courage, et surtout à ma pauvre mère, qui en a bien besoin!» J'ai pensé aux morts qui devaient avoir si froid, et qui étaient si seuls dans les cimetières; et que restait-il d'eux après quelques années – grand-père, grand-mère, tante Agathe – des ossements, des dents, quelques débris entre des planches vermoulues. J'entrais sous terre, je les voyais, les dents surtout, qui brillaient dans la nuit.

J'ai continué à battre la campagne comme cela pendant un bon moment, et j'ai fini par avoir vraiment peur. J'essayais de penser à autre chose, mais c'était plus fort que moi: toujours ces images lugubres tournaient dans ma tête, au point que j'en avais des frissons. Je me suis couché en chien de fusil, les genoux repliés contre la poitrine, et je me suis mis à répéter à voix basse des mots comme «soleil», «prairie», «printemps», et même «gigot», «tarte aux pommes», «bouchée au chocolat». Peu à peu je me suis calmé, j'ai entrouvert la porte de la cuisine, et le chat est venu se coucher sur mon lit. J'ai posé une main sur sa fourrure, et de le sentir là, doux et tiède, qui ronronnait frénétiquement, m'a fait du bien. Tous les deux, nous nous sommes endormis.

Plus tard j'ai rêvé que je traversais une grande forêt enneigée, sur un traîneau tiré par des chiens. Entre les troncs immenses des sapins, dont je ne pouvais pas même distinguer la cime, je sentais combien nous étions minuscules. Pourtant le traîneau filait droit, sans un bruit, tandis qu'au loin grandissait une lueur, vers laquelle se dirigeaient les chiens, sans que j'aie besoin de les guider ou de les exhorter de la voix. J'apercevais maintenant de hautes flammes: une maison peut-être qui brûlait ou bien la forêt elle-même. Nous avancions toujours sans heurt, et l'incendie emplissait le ciel. Les chiens se sont arrêtés à l'orée d'une clairière, au centre de laquelle s'élevait une statue géante déjà à demi dévorée par le feu. Autour d'elle, accroupie sur la neige, qui étrangement n'avait pas fondu, une meute de loups me fixait des yeux. Ils étaient immobiles, les oreilles pointées, et leurs crocs luisaient. Soudain l'un des bras de la statue s'est détaché, avec lenteur, dans un tourbillon d'étincelles. Alors les loups, tous ensemble, se sont mis à hurler.

Réveillé en sursaut, je me suis levé d'un bond, et le chat, surpris, est allé se réfugier sous l'armoire. Tout de suite je me suis rappelé mon rêve : la forêt, le feu, la statue, les loups, et il me semblait entendre encore leurs hurlements. J'ai dressé l'oreille. Non, je ne me trompais pas : de longs cris étouffés par l'épaisseur de la neige semblaient venir d'en haut, sur la terrasse. Cela a duré quelques minutes, puis le silence est retombé, et je me suis dit que j'avais dû continuer de rêver.

J'allais me remettre au lit, tout frissonnant, lorsque j'ai entendu mon père marcher dans la salle. J'ai pris ma bougie et j'ai ouvert la porte. Me voyant là, en chemise de nuit, il m'a demandé d'une voix inquiète :

– Qu'est-ce que tu fais ? Il n'est que cinq heures !

– Je ne sais pas, j'ai eu un cauchemar, et quand je me suis réveillé, il m'a semblé que quelque chose criait là-haut, dehors.

– Ah, toi aussi !

– On aurait dit des bêtes.

– Oui, c'est bizarre. J'ai d'abord cru que c'était le vent…

Nous sommes montés dans le grenier, jusqu'à la

fenêtre qui donnait accès à la terrasse. Me faisant signe de me taire, Pa a collé l'oreille contre le volet, mais il n'a pas osé l'ouvrir. La chèvre s'était mise à bêler dans l'étable ; une souris s'est faufilée dans le foin ; dehors, il n'y avait plus aucun bruit.

Enfin Pa s'est retourné vers moi, l'air perplexe.

– On n'entend rien. Nous verrons tout à l'heure, quand il fera jour. Allons nous coucher !

A vrai dire, nous espérions tous deux avoir été victimes, dans un demi-sommeil, d'une hallucination que l'aube aurait vite fait de dissiper, mais il n'en fut rien. Quelques heures plus tard, à peine eûmes-nous posé le pied sur la terrasse, que nous aperçûmes alentour, dans la vague lueur qui tombait du ciel, des traces de pattes, profondément marquées dans la neige. De toute évidence, des bêtes avaient rôdé pendant la nuit, creusant parfois des sillons comme si leurs corps s'étaient enfoncés dans la couche blanche, et elles avaient ravagé le tas de fumier au bout de la passerelle. Je remarquai qu'une lanière de cuir qui maintenait la rambarde à l'un des pieux avait été déchirée à coups de dents, et qu'elle avait en partie disparu. Quelques empreintes moins confuses suggéraient des pattes épaisses, griffues, et qui auraient pu appartenir à des chiens de forte taille. Elles convergeaient derrière la pente du toit, et s'éloignaient en direction de la première crête.

Etait-il possible que des chiens, ensevelis par la tempête, aient creusé des tunnels pour se réunir en meutes, et que, poussés par la faim, ils se soient mis à errer dans ce désert ? Peut-être alors avaient-ils été attirés par l'odeur de nourriture qui montait de notre cheminée ou par celle de nos bêtes. C'était du moins ce que supposait mon père, mais il ne comprenait pas comment ils avaient pu se déplacer sur cette surface encore friable, même si leur progression avait été visiblement difficile. En effet il y avait là un mystère que nous ne réussissions pas à éclaircir, et, tout en observant la crête où nos visiteurs avaient disparu, nous nous demandions où ils avaient bien pu aller, et s'ils ne risquaient pas de revenir.

C'est alors que je racontai mon rêve. Tous trois m'écoutaient, et j'avais à peine terminé que Noémie, hochant la tête, dit d'un air grave que, oui, c'étaient sûrement des loups, qu'il y en avait partout dans les livres, et que, si nous ne fermions pas le volet, ils entreraient dans la maison et mangeraient la chèvre.

Elle avait tout lu, Noémie : *le Petit Chaperon rouge, la Chèvre de Monsieur Seguin, Croc-blanc, les Chasseurs de fourrures,* et ces histoires devaient lui tourbillonner dans l'esprit. Elle se mordait les lèvres, et, bien qu'elle ne fût pas très rassurée, on voyait qu'au fond cela ne lui déplaisait pas tellement.

– Les loups n'existent plus que dans les légendes, dit Man. Tu le sais bien, Noémie !

– Si, ils existent ! J'en ai vu au zoo, quand j'étais petite. Je m'en souviens !

– C'est vrai, dit Pa, mais quelques-uns seulement : les derniers, et dans des cages.

– Ah, vous voyez ! Et peut-être bien qu'avec la neige ils sont passés par dessus les grilles, et qu'ils sont partis en liberté vers la forêt. Et là, ils ont retrouvé d'autres loups venus d'ailleurs.

Pa la regardait, interdit.

– Quelle imagination, Noémie !

– D'ailleurs, ajouta-t-elle en se penchant vers la neige, je reconnais bien leurs traces.

– Comment peux-tu reconnaître des traces de loups?

– J'ai vu des photos, des dessins dans un livre que j'ai pris à la bibliothèque. *Les Carnassiers,* ça s'appelait.

Pa semblait de plus en plus perplexe.

– Ah bon, ah bon, disait-il, tu crois…

– Oui, c'est sûr!

Là, elle m'a vraiment étonné, Noémie. Elle était accroupie au bord de la terrasse, avec ses joues roses de froid et son nez en trompette, elle promenait un doigt dans une empreinte, et elle disait: «Vous voyez bien: l'écartement des coussins, des griffes…» Les coussins! Oui, ça devait être le mot juste, elle savait tout! J'avais belle allure avec mon rêve! Personne ne faisait plus attention à moi maintenant, c'était elle que l'on écoutait. Vexé, je cherchais une petite perfidie, pour me moquer d'elle et la mettre en colère, mais je ne trouvai rien à dire. Quand j'y pense, au fond, je crois que j'étais muet d'admiration autant que de jalousie.

Il faisait un peu moins sombre; des lignes de crête plus lointaines commençaient à se dessiner, mais l'étendue de neige restait toujours vide. Avec ce ciel bas et couvert, il était certain que, cette fois encore, nous n'avions aucune chance de revoir le soleil.

Je suppose que ni mon père ni ma mère n'avaient vraiment cru à la présence de loups. Pa, ce jour-là, dans ses carnets, note simplement «le passage pendant la nuit d'animaux suspects, sans doute une meute de chiens errants», et très vite il glisse vers des considérations sur l'état de nos réserves et la nécessité de nous restreindre, puisque, ajoute-t-il, «notre isolement risque de se prolonger». De loups, on le voit, il n'est pas question.

En revanche, pour moi comme pour Noémie, ce mot gardait toute sa résonance maléfique. J'avais lu trop de récits du Grand Nord pour ne pas voir aussitôt surgir l'image de ces fauves, les yeux luisants, les oreilles dressées, les babines retroussées sur des crocs aigus. Ils assiégeaient les cabanes de rondins, ils déchiquetaient le cadavre d'un renne de leurs mâchoires sanglantes, et parfois même dévoraient un enfant égaré. Ces descriptions qui, quelques années plus tôt, m'emplissaient de crainte, je ne les avais pas oubliées, et je me demandais si, à notre tour, nous n'allions pas être assaillis par de tels monstres.

– Pa ne veut pas me croire, mais moi je te dis que ce sont des loups! affirmait Noémie.

– Tu en es sûre?

– Oui. Ils vont revenir. Et Pa qui n'a pas de fusil!

C'était hélas vrai. Notre père, qui avait toujours eu la chasse en horreur, ne possédait pas d'arme, et d'ailleurs je l'imaginais mal en train de faire le coup de feu contre une horde déchaînée. Il s'était contenté, par prudence, de pousser le volet du fenil, et de le maintenir entrebâillé à l'aide d'une corde fixée au verrou. Ce dispositif paraissait solide, mais résisterait-il à l'assaut d'éventuels envahisseurs? Je n'en étais pas certain. D'autre part, l'aération de la maison, déjà insuffisante, se trouvait considérablement réduite. L'odeur de l'étable, se mêlant à celle de la cuisine, était aussitôt devenue plus forte, et, dans l'après-midi, Pa prit la décision de rouvrir cette unique fenêtre, près de laquelle il monterait la garde.

Je le revois, assis dans le fenil, sur une vieille chaise à

demi dépaillée. Dans la faible lumière qui tombe de l'extérieur, il lit un livre posé sur ses genoux. Avec son bonnet de fourrure, sa canadienne et ses bottes, il a l'air d'un trappeur, et seul le fusil en effet manque au tableau. De temps à autre il se lève, il marque sa page avec un brin de paille, et, prenant ses jumelles, il monte sur la terrasse pour examiner l'horizon. Puis il redescend, souffle sur ses doigts pour les réchauffer, et il reprend sa lecture.

L'après-midi se passa sans incident. En bas, nous avions retrouvé nos tâches quotidiennes, et peu à peu notre inquiétude se faisait moins vive. Lorsque Pa eut quitté son poste d'observation, à la tombée de la nuit, et qu'il entra dans la salle, nous étions tous au travail près de la cheminée. Man était penchée sur la marmite où cuisait la soupe, Noémie mettait la table, et moi je tournais mon moulin.

– Je n'ai rien vu, dit-il. Tout est calme, mais j'ai renforcé le volet avec une poutre, on ne sait jamais !

– Viens vite près du feu, dit Man. Tu es gelé.

– Oui, il commence à faire plutôt froid là-haut.

Il avait enlevé sa canadienne, et il tendait ses mains vers les flammes.

– La chèvre n'arrête pas de bêler depuis une heure. Va donc voir, Simon, s'il n'y a pas quelque chose d'anormal.

Je ne demandai pas mon reste, trop heureux que j'étais de laisser là ma meunerie, et je filai vers l'étable.

Quand elle m'aperçut, la chèvre cessa de bêler, mais elle alla aussitôt se blottir dans un coin, contre la mangeoire, et j'eus toutes les peines du monde à l'en tirer. Elle s'arc-boutait sur ses quatre pattes, tremblait et donnait des coups de tête. Elle finit par se calmer un peu, et je réussis à la traire, tandis que la vache, immobile, mugissait doucement. Je leur parlai, à toutes deux, et leur fis quelques caresses, mais ce soir-là elles n'avaient pas l'air de m'écouter. Il faisait tiède dans la pièce basse, et l'odeur était plus puissante qu'à l'ordinaire, car nous n'avions pas enlevé le fumier depuis quelques jours.

Lorsque j'eus fini de traire, je montai dans le grenier, jetai quelques brassées de foin dans la mangeoire, et j'ouvris un instant le volet. Je respirai l'air froid et tendis l'oreille, mais, en dehors des faibles bruits de voix qui venaient de la cuisine, tout était silencieux.

Je revins m'asseoir près des bêtes. Elles mâchaient leur nourriture, et maintenant ne se souciaient plus de moi. Le bois des râteliers, aux endroits où elles avaient l'habitude de se frotter, luisait comme du métal. Nous avions chaulé les murs, quelques mois plus tôt, et, bien que l'enduit commençât par places à s'écailler, il était d'une blancheur de lait.

En me dressant sur la pointe des pieds, j'aurais presque pu toucher les poutres, grossièrement taillées à la hache, contre lesquelles des hirondelles avaient bâti leurs nids de boue. Ils étaient vides, bien sûr, mais je me rappelais avec plaisir avoir observé, au printemps, les va-et-vient des adultes, qui franchissaient d'un vol rapide la lucarne, tandis que les petits, le bec tendu, s'égosillaient. Où étaient-ils maintenant ? Dans quelle Afrique avaient-ils trouvé refuge ? Soudain cette longue migration me paraissait irréelle, et je craignais de ne jamais plus les revoir.

Puis je songeai à nos mystérieux visiteurs de la nuit, dont le passage avait encore accru notre malaise. D'où avaient-ils pu venir, eux aussi, et quelles forces secrètes poussaient les bêtes à se lancer dans de telles aventures ? Cette fois, de leur présence, je n'attendais rien de bon.

La tête contre la muraille, je commençai à m'assoupir. Je me sentais bien dans cette pièce calme et tiède, comme une grotte qui me protégeait du monde, et où me berçait le bruit régulier des mâchoires. Machinalement je levai la lampe et promenai sa lueur au plafond que tapissaient de vieilles toiles d'araignées, enduites de poussière. Dans l'une d'elles, entre le râtelier et l'encoignure, je vis que l'araignée était à l'affût. Surprise par le rai de lumière, elle eut un petit sursaut, puis elle recula lentement jusqu'au creux d'une poutre, où elle s'immobilisa, comme si elle m'avait observé avec inquiétude. Bien à tort, d'ailleurs, car mon père m'avait appris à respecter les animaux, quels qu'ils fussent, comme autant de manifestations de l'ordre universel, et c'est tout juste s'il m'arrivait, dans un instant d'exaspération, de tuer un moustique.

Je regardai donc ma voisine avec bienveillance, et, peu à peu, sans doute mise en confiance par mon attitude, elle finit par se détendre. Elle déplia ses pattes, et s'avança sur la toile, où elle vint reprendre sa position.

Je n'aimais pas particulièrement les araignées, mais je me souviens qu'alors j'éprouvai pour celle-là une sorte de tendresse. Dans ce monde paralysé, elle s'acharnait à vivre, elle continuait de faire les mêmes gestes, et je sentais qu'au fond nous étions embarqués dans la même galère.

Je restais là, comme engourdi, et j'aurais voulu ne plus bouger.

Le temps passait, bientôt ce serait l'heure du souper. J'entendrais le pas de mon père, puis sa voix dans le couloir.

– Qu'est-ce que tu fabriques, Simon? Viens donc vite, on mange!

Alors seulement je me lèverais, et je m'arracherais à ma torpeur.

C'est ce soir-là, après le repas, que mon père nous lut quelques pages de *la Légende de saint Julien l'Hospitalier.* Sans doute était-ce le livre que j'avais aperçu sur ses genoux dans le fenil, et je suppose que, tombant sur ce passage, il avait pensé à nous, et s'était promis de nous faire partager son plaisir pendant la veillée.

Je me souviens qu'il s'agissait de la fin du récit et de la transfiguration du lépreux que Julien a recueilli dans sa pauvre cabane, après lui avoir fait passer le fleuve.

« Alors le lépreux l'étreignit ; et ses yeux tout à coup prirent une clarté d'étoiles ; ses cheveux s'allongèrent comme des rais de soleil ; le souffle de ses narines avait la douceur des roses ; un nuage d'encens s'éleva du foyer ; les flots chantaient... »

Ce conte, je l'ai relu cent fois, et toujours avec bonheur, mais je n'oublie pas l'émotion que j'éprouvai, en cet instant, à entendre la voix de mon père retentir dans notre maison, aussi perdue et solitaire que la cabane de Julien.

Le volume dans lequel je copie ces lignes, et qui fut beaucoup feuilleté, est celui qu'il tenait alors dans sa main.

Le matin suivant, nous commencions à croire que notre alarme était peu fondée, et que les rôdeurs avaient disparu sans retour, quand soudain tout fut remis en question. Nous nous étions hissés sur la terrasse pour respirer et faire notre gymnastique quotidienne, lorsque j'aperçus au loin, sur une crête, un point sombre qui bougeait. Je poussai un cri, les autres se retournèrent, et nous restâmes là, les bras ballants, à regarder cette apparition pour nous stupéfiante : celle du premier être vivant que nous ayons vu depuis le désastre. Mais je pressentais que nous n'avions pas à nous en réjouir, et ce qui suivit le confirma bientôt.

Pa avait braqué ses jumelles dans la direction du point, qui commençait à descendre la pente, mais il n'arrivait pas à régler les lentilles. Il maniait fébrilement la molette, s'énervait et jurait. Enfin il dit que c'était mieux, c'était bien : il voyait un animal, oui, probablement un chien qui avait l'air d'avancer avec difficulté.

– Il doit être à six ou sept cents mètres. J'ai l'impression qu'il vient vers nous. Je ne distingue pas très bien sa couleur.

Il avait relevé les jumelles, et il observait maintenant l'horizon.

– En voilà d'autres ! s'exclama-t-il aussitôt. Trois. Quatre. Et là-haut, cinq autres encore !

D'ailleurs nous les voyions sans trop de mal à l'œil nu, car la lumière était un peu moins grise, et ils se détachaient sur la blancheur de la neige.

Deux autres bêtes étaient apparues, un peu plus loin sur la droite, et toutes convergeaient vers la maison, rejoignant la piste que sans doute elles avaient frayée lors de leur visite nocturne.

Lorsqu'elles arrivèrent à environ trois cents mètres de nous, les traînards avaient rejoint le gros de la troupe, et de toute évidence, malgré la lenteur de la progression, cette meute désormais compacte ne tarderait pas à nous atteindre. Nous ne pouvions pas encore d'stinguer très nettement les détails, mais, s'il s'agissait de chiens, ils devaient être d'assez grande taille et de même race. Pa, qui n'avait pas lâché ses jumelles, nous les décrivait peu à peu: une fourrure gris sombre, un museau fin, des oreilles pointues... Puis, tout à coup il s'écria:

– Mais, ma parole, tu avais raison, Noémie. Ce sont des loups. Quelle histoire!

C'est ce dont nous étions persuadés depuis la veille, Noémie et moi, mais d'entendre Pa l'admettre nous donna malgré tout un coup au cœur. Cette fois nous étions entrés dans ce qui m'apparaissait à la fois comme une aventure et un cauchemar. Les loups avançaient de front maintenant, et, sous le ciel noir, dans la lueur livide qui montait de la neige, ils avaient un aspect sinistre et menaçant. On devinait leurs muscles tendus dans l'effort, et, de temps à autre, lorsqu'ils retroussaient leurs babines, les crocs luisaient.

Ils étaient si proches que Man nous poussa vers l'échelle, en nous ordonnant de descendre vite dans le fenil. La chèvre, en bas, s'était mise à bêler avec frénésie, et sans doute les loups l'avaient-ils entendue, car l'un d'eux donna aussitôt de la voix, et, les autres suivant son exemple, il y eut un concert de hurlements sauvages. Lorsque je me retournai, un instant, avant de poser le pied sur le barreau, je vis qu'ils s'étaient arrêtés, le museau pointé vers le ciel, à une vingtaine de mètres de la terrasse où Pa battait prudemment en retraite.

Il ne fut pas long à nous rejoindre et à fermer le volet qu'il consolida avec la poutre. Quelques secondes plus tard, les hurlements résonnaient au-dessus de nos têtes, des griffes crissaient sur les planches de la terrasse, et nous entendions tout près des halètements et comme des plaintes. Pa avait allumé la lampe tempête, et nous restâmes là, silencieux, à écouter le va-et-vient des fauves. L'un d'eux, poussé par la faim, n'allait-il pas se précipiter dans la fosse et tenter de forcer l'ouverture ? Pa affirmait que le volet était solide, et que nous ne craignions rien, mais je n'étais qu'à demi rassuré, car je prêtais à ces monstres une force redoutable, et je me demandais si, à coups de dents et de griffes, ils ne finiraient pas par faire voler le bois en éclat, et à s'introduire dans notre refuge.

Le tapage dura un bon quart d'heure, qui nous parut très long, puis il diminua, nos visiteurs s'étant sans doute repliés sur le tas d'immondices où ils devaient flairer l'odeur du bétail. On n'entendait plus que des jappements étouffés, et parfois des gémissements qui semblaient être de douleur. Nous finîmes par descendre dans la cuisine où la vue du feu nous revigora. Le chat, que rien ne paraissait affecter, dormait paisiblement devant l'âtre où cuisait la soupe pour le repas de midi.

Maintenant nous sommes en état de siège, et à notre isolement s'ajoute la menace des loups qui, à en croire les bruits au-dessus de nos têtes, ne semblent pas avoir l'intention de s'éloigner. Man, je le sens bien, est au bord du désespoir : elle a l'œil terne, les traits tirés, elle donne l'impression d'avoir perdu toute vigueur. Mais Pa, cette fois encore, trouve des paroles réconfortantes. Il dit : « Ne vous inquiétez pas, ils vont finir par décamper ! Allons, patience, nous en avons vu d'autres ! » Puis :

«Ce qui me tracasse, moi, c'est que nous avons besoin d'air, et il ne nous reste plus que le conduit de la cheminée. Ce n'est pas suffisant. Réfléchissons!» Comme toujours, il refuse de se résigner, il cherche une solution, il se met en mouvement. «Il faudrait des barreaux, une grille, je ne sais quoi, pour mettre à la place du volet. Oui, c'est cela!»

A peine a-t-il prononcé ces mots qu'il se lève et file vers le grenier. Nous l'entendons marcher là-haut, tirer des meubles ou des caisses. Quelque chose tombe sur le plancher avec fracas. Il crie: «Viens m'aider, Simon, j'ai besoin de toi!»

Le grenier! Il me faut ici lui rendre hommage, dire quel recours et quel secours il fut pour nous dans cette époque tragique: une mine, une bénédiction, une sorte de supermarché baroque où nous trouvions presque toujours ce dont nous avions besoin, maintenant que les machines étaient défaillantes. C'est là que nous avions récupéré les lampes, le chaudron, le moulin à café, les poutres et les planches qui nous avaient permis de construire la terrasse; tant d'autres objets ingénieux, qui, après parfois plus d'un siècle sous les toiles d'araignées et la poussière, avaient repris leur fonction.

Il était immense, puisqu'il couvrait toute la maison, et divisé en deux parties: sur l'arrière, le fenil avec le tas de fourrage et la resserre où nous gardions les fruits, les herbes et le grain; sur l'avant, le plus vaste espace qui avait servi de débarras à plusieurs générations, depuis les paysans, qui s'étaient installés sur cette terre à l'époque du cheval et de la lampe à huile, jusqu'à nous-mêmes, en passant par tante Agathe, dont nous évoquions de temps à autre avec gratitude la tournure d'esprit conservatrice. Chacun avait accumulé là, par strates successives, et plutôt que de les jeter à la décharge, les objets devenus en apparence inutiles. Etait-ce par une obscure reconnaissance pour des choses qui avaient bien et beaucoup servi, et s'étaient, d'une certaine façon, comme imprégnées de la substance de ceux qui les avaient possédées? N'y avait-il pas aussi le désir inavoué d'établir là comme l'humble musée d'existences secrètes, à la fois fascinées et décontenancées par de vertigineuses mutations? Ou bien, plus prosaïquement, et surtout chez les montagnards qui vivaient de peu et savaient le prix des choses, ne se disait-on pas: «Après tout, qui sait? Ça peut toujours servir!» Sages paroles, dont nous pouvions maintenant vérifier la justesse. Cela allait du collier de trait à la machine à coudre Singer à pédale, de la baignoire en zinc au poste de TSF, de la faux à la roue de bicyclette, en passant par tout un bric-à-brac de meubles boiteux, de coffres, de paperasses et de ferraille. Un chercheur, explorant ces couches comme un archéologue, aurait pu les dater et en déduire les travaux, les mœurs, les goûts, peut-être les passions des occupants.

Avant le désastre, Pa et Man n'y mettaient pas souvent les pieds, Man surtout qui parfois protestait contre toutes ces «vieilleries» et parlait d'appeler un brocanteur qui nous en débarrasserait enfin. Mon père écoutait en hochant la tête, et je devinais qu'il hésitait devant l'ampleur de la tâche. Noémie et moi, nous nous mettions à les supplier: «Oh non, par pitié! Il ne faut rien toucher!» Pa finissait par dire, d'un air évasif, que l'on verrait, qu'en tout cas il n'y avait pas urgence; et il n'en était plus question pendant quelque temps. Cette

scène s'était reproduite maintes fois, sans plus de consé-
quences, et par bonheur ma mère avait dû se lasser.

Combien d'heures j'ai passées avec Noémie dans ce
grenier! Quand il faisait beau, nous courions les bois et
nous aidions notre père dans le jardin, mais, les jours de
pluie, une fois nos devoirs terminés, nous nous précipitions vers notre domaine. Je revois, comme si je l'avais
sous les yeux, l'escalier raide, aux marches étroites, qui
s'élevait au bout du couloir, et je sens encore sous mes
doigts la rampe que le frottement avait polie. L'ascen-
sion était un peu vertigineuse, comme s'il nous avait
fallu mériter ce paradis. Ma sœur, qui était petite alors,
grimpait à quatre pattes, elle criait: «Attends-moi!» Je
lui tendais la main, puis, dans la demi-obscurité, nous
nous engagions dans une espèce de corridor sinueux
entre les amoncellements. J'allais m'installer sur une
caisse, près de l'une des lucarnes par lesquelles entrait
un peu de jour, tandis que Noémie furetait dans le
labyrinthe pour y apprivoiser les souris. Je fouillais dans
un tas de vieux magazines, je regardais les photos, et je
lisais des articles qui parlaient de guerres, de décou-
vertes, des premières fusées vers la lune. Je crois que
c'est là, autant qu'à l'école, que j'ai appris l'histoire, et
ces pages m'étaient devenues familières au point que
j'avais l'impression d'avoir vécu dans ces époques pourtant reculées.

Bref, ce grenier, à force de l'explorer, nous
le connaissions par cœur, et Noémie, je dois le dire,
encore mieux que moi. Si bien que, dans la période où
la maison fut coupée du monde, nous devînmes comme
des guides, capables de dénicher sans peine, au milieu
de ce désordre, tel ou tel objet dont nous avions
besoin.

Donc c'est là que je trouve Pa, en train de se battre avec des planches et des toiles d'araignées. Il a en partie dégagé une vieille grille de fer, appuyée contre la cloison, et qui a dû jadis servir à fermer la clôture du jardin. Il tire, pousse en maugréant. «Tiens! dit-il, glisse-toi là-bas, au bout, pour me donner un coup de main.» Nous finissons tant bien que mal par extraire la grille, qui est plus grande que la fenêtre, mais Pa m'explique qu'il va sceller des crochets dans la muraille, sur lesquels nous la poserons, après avoir enlevé le volet. Pour l'instant il n'en est pas question, car les loups continuent leur ronde, et, dès que la chèvre se met à bêler, ils reprennent leur vacarme sur le toit. Mais, dit Pa, nous allons commencer tout de suite le travail de maçonnerie, et il m'envoie chercher les outils, une auge et le ciment. Tandis que je prépare le mortier, les coups de marteau résonnent dans le fenil, et maintenant les loups se taisent, surpris sans doute de ces bruits inhabituels. Je les imagine là, tout près, séparés de nous par trois fois rien : le volet, l'échelle, l'espace du puits. Ils sont assis, les oreilles dressées, les yeux fixés sur la terrasse, et peut-être guettent-ils l'apparition de la chèvre qu'alors ils ne seraient pas longs à dévorer. Voilà à quoi je pense en gâchant le mortier avec la truelle, et je vois une grande tache rouge sur la neige.

Pa a creusé quatre trous bien nets, bien profonds, dans lesquels il fixe aussitôt les crochets de fer. A la nuit tombante, nous avons terminé; le ciment prompt est devenu dur comme de la pierre. En haut, tout est silencieux. Pa écoute longuement. «Je crois qu'ils sont partis, dit-il, nous allons essayer.» Il ouvre avec précaution le volet, écoute encore, le soulève hors de ses gonds. Vite nous plaçons la grille, dont les barres transversales reposent parfaitement sur les supports. Pour plus de sécurité, nous les y attachons avec des cordes. On dirait une porte de prison. Dehors il fait noir, mais maintenant, dans le grenier, un air frais circule

A partir de ce soir-là, nous vivons derrière les barreaux, doublement prisonniers, même si, de temps à autre, profitant de l'absence des loups, nous nous risquons encore sur la terrasse. Car ils disparaissent et resurgissent à des heures imprévisibles, comme s'ils suivaient un itinéraire capricieux. De jour en jour ils deviennent plus maigres, ils montrent leurs dents, leurs cris se font plus lugubres. Peu à peu nous apprenons à les connaître. Lorsque le silence règne, Pa décroche la grille ; il gravit prudemment l'échelle, l'œil aux aguets. Après avoir constaté que rien ne bouge alentour, il nous fait signe de monter, mais il se hisse d'abord sur la plate-forme, derrière laquelle une bête pourrait être embusquée.

Le ciel est toujours sombre et bas. Avec ses jumelles, Pa observe l'horizon. Je sais maintenant qu'il regrette de ne pas avoir de fusil. Il a choisi pour arme un grand couteau de cuisine, robuste et très pointu, qu'il a solidement lié à l'extrémité d'une perche. Cela fait une sorte de lance qu'il garde près de lui, appuyée contre la rambarde, au cas où un danger surgirait. Lorsqu'il la tient à la main, on croirait un harponneur, et cela pourrait prêter à rire si nous en avions encore le cœur. Mais, à cette époque-là, nous avons cessé de rire ou même de sourire, surtout Man, qui est devenue étrangement silencieuse et dont parfois les mains tremblent.

Seul Pa manifeste un semblant de jovialité, puisqu'il

a résolu, quelles que soient ses craintes, de maintenir le moral de la famille. Il nous ordonne de marcher de long en large, de respirer profondément, de faire quelques mouvements de gymnastique, et lui-même donne l'exemple. Nous obéissons, nous soufflons sur nos doigts pour les réchauffer ; parfois Noémie pleurniche. Pa lui crie : «Allons, sois courageuse, il faut rester en bonne santé!» En revanche, c'est tout juste si Man accepte d'aller prendre l'air, et là elle refuse de bouger, elle s'adosse un instant à la balustrade et regarde avec dégoût la neige ravagée. A la première occasion, elle redescend dans la cuisine. Pa n'insiste pas. Il m'a confié, un soir, tandis que nous soignions les bêtes : «Ta mère m'inquiète, Simon. Oh non, je ne crois pas qu'elle soit malade, mais je la sens lasse, très lasse, elle qui a toujours été si solide. C'est très dur, je le sais bien, surtout pour elle. Et puis, elle se fait des idées, elle se raconte des histoires, tu la connais. Il faut l'entourer, la soutenir. Ça finira par passer.» J'ai vu que déjà il regrettait de m'avoir dit cela, qui devait lui peser sur le cœur. Un instant, il a posé la main sur mon épaule, puis il s'est détourné et, saisissant une fourche, il s'est mis à garnir de foin les mangeoires.

XI

Noémie et moi, nous aidons Man de notre mieux à faire la cuisine et le ménage. Nous lui parlons, mais elle semble à peine nous entendre. Parfois elle redevient attentive, son visage s'éclaire un peu, elle dit: «Vous êtes très gentils, tous les deux, très courageux. Et sages aussi!» Il est vrai qu'à cette époque j'ai presque cessé de me quereller avec Noémie. Il m'arrive encore d'être agacé par ses discours, que Pa a l'air de tellement apprécier, mais ce n'est plus comme avant: je me contrôle, je me tais.. Ce n'est qu'une toute petite rage, qui a vite fait de s'évaporer. Au fond, depuis l'histoire des loups, elle m'impressionne, Noémie.

De temps en temps, lorsque nous sommes seuls, nous nous faisons des confidences. Elle dit:

— Il y a des moments où je pense que ça ne finira jamais, que toute la terre est couverte de neige, et qu'il ne reste plus personne d'autre que nous... Toi aussi tu as peur, Simon?

— Bien sûr que j'ai peur, mais il ne faut pas raconter de choses comme ça! Le printemps, il reviendra un jour, le vrai printemps. On retrouvera les arbres, les prairies, les fleurs...

— Et les oiseaux.

— Oui, les oiseaux, et aussi Sébastien, sur son tracteur, et Madame Jaule, et Marc, là, au tournant de la route. Tu te rends compte! Qu'est-ce qu'on sera heureux!

– Peut-être, peut-être… Il y a des moments aussi où je me dis qu'ils viendront nous chercher de la lune, avec une fusée. On fera des signaux, ils nous lanceront une échelle, et on partira tous là-haut, avec Hector, Zoé, Io et les poules. Tu crois qu'ils pourront emporter Io?

– Oui, si la fusée est assez grande.

– Ils ont de très grandes fusées.

Un autre soir, dans l'étable, elle me dit:

– Je crois que nous allons tous mourir.

Et nous nous mettons tous deux à sangloter.

Parfois elle était comme une femme, Noémie: son air sérieux, sa façon de parler, ses livres; mais parfois aussi elle avait l'air d'une toute petite fille, avec ses terreurs et ses larmes. C'est comme cela surtout que je l'aimais, et, au fond, je crois que je pleurais de la voir pleurer.

Depuis quelques jours, la petite fille avait pris le dessus. Elle avait décidé de se coiffer à nouveau avec des tresses, il lui arrivait de sucer son pouce. Elle allait s'asseoir aux pieds de Man, près de la cheminée, et lui tendait un livre.

– J'aimerais que tu me racontes quelque chose, tu veux bien?

La première fois, Man l'avait regardée, surprise.

– Mais, tu ne sais plus lire, Noémie?

– Je voudrais que ce soit toi.

– Eh bien, alors…

Et, passant un bras autour du cou de Noémie, elle l'avait attirée vers elle pour l'embrasser.

Après avoir feuilleté quelques pages, elle s'était mise à lire. Ce n'était pas Flaubert ou Maupassant, dont se délectait à l'ordinaire le petit prodige, mais les bonnes vieilles histoires de Grimm et de Perrault, que depuis longtemps elle avait délaissées. Noémie écoutait, silencieuse, les yeux brillants, et il me semblait retrouver la gamine qu'elle était, quatre ou cinq ans plus tôt, quand nous vivions encore à Paris.

– Ça te plaît toujours ? disait Man.

Noémie hochait vigoureusement la tête.

– Mon bébé ! disait Man, attendrie, et je voyais qu'elle avait recommencé à sourire.

Le niveau du seigle baissait dans le coffre. Chaque fois que j'allais y puiser, je marquais le niveau d'un trait de crayon. Cela faisait déjà comme une petite échelle. Quand elle atteindrait le fond, nous n'aurions plus de pain, et il nous faudrait nous rabattre sur l'avoine, qui ne donnerait sans doute qu'un produit médiocre. Mais nous espérions bien ne pas être réduits à cette extrémité.

Quant au tas de pommes de terres, lui aussi s'amenuisait. J'allais de temps à autre les dégermer, à la cave, et trier celles qui se gâtaient. Il restait encore deux ou trois kilos de carottes et quelques raves, protégées par de la paille.

Nous avions mangé presque toutes nos conserves, mais par bonheur nous disposions de lait en quantité suffisante, bien que la production commençât à décroître.

Les poules, en revanche, pondaient plus régulièrement, et nous pouvions compter sur cinq ou six œufs par jour. Elles y avaient gagné leur salut ou du moins un sursis, car, notre réserve de porc étant presque épuisée, mon père avait décrété que, si nous voulions de la viande, il faudrait bien sacrifier la volaille. Mais, devant nos protestations et le plaidoyer de Man, qui affirmait que les œufs valaient mieux que la viande, il semblait y avoir renoncé. Je crois aussi qu'il appréhendait l'instant où il lui faudrait tordre le cou de ces pauvres bêtes, qui nous étaient aussi familières que des chats.

Pourtant, c'est la chèvre qui nous causa soudain de l'inquiétude. Depuis l'apparition des loups, elle donnait des signes d'abattement, et restait blottie dans un coin de l'étable, à bêler pendant des heures. Puis elle refusa de s'alimenter. J'avais beau lui mettre sous le nez une brassée du meilleur fourrage ou les épluchures de légumes, que jadis elle adorait, elle restait là, maussade, à regarder le mur. Je lui parlais, je la caressais, mais tout semblait lui être devenu indifférent. Enfin son pis se tarit.

Pa l'examina, lui tâtant tout le corps, pour voir s'il n'y avait pas quelque grosseur, mais il ne trouva rien. Il dit seulement qu'elle avait beaucoup maigri, et qu'on lui sentait les os. Il lui prépara un breuvage que lui avait conseillé Sébastien: un mélange de vin chaud, de thym et de cannelle. Il aurait fallu y ajouter du sucre, mais nous n'en avions plus. D'ailleurs elle le flaira à peine, et n'y toucha pas, malgré nos supplications. Trois jours passèrent sans grand changement. Elle ne consentait qu'à prendre un peu d'eau, et parfois elle bêlait, plus faiblement, comme un chevreau qui vient de naître.

Les loups s'étaient-ils lassés ou bien, tenaillés par la faim, commençaient-ils, eux aussi, à s'affaiblir? Toujours est-il que leurs visites se faisaient moins fréquentes, et que nous restâmes même quarante-huit heures sans les voir. Cela nous rendit quelque espoir. Si notre pauvre Zoé était terrassée par la peur, ainsi que nous le supposions, elle en éprouverait sans doute du soulagement.

Lorsqu'ils revinrent, un soir, mon père ferma la trappe, entre le fenil et l'étable, et il la recouvrit d'une épaisse couche de foin, pour étouffer le bruit de leurs hurlements. Cette fois, ils étaient déchaînés, au point que je crus qu'ils allaient descendre dans le puits pour s'attaquer à la grille à coups de dents. Mais soudain ils disparurent.

Le lendemain, je trouvai Zoé couchée sur le flanc, les yeux fermés. Quand elle m'entendit, elle remua un peu les oreilles, et elle essaya de se mettre sur ses pattes, mais elle retomba aussitôt sur la paille. Elle respirait difficilement, son pelage terne était çà et là souillé de purin. Agenouillé près d'elle, je lui caressai le front entre les cornes. Elle souleva un instant ses paupières, et il me sembla lire dans ses yeux comme un immense étonnement.

Jusqu'alors, j'avais continué d'espérer je ne sais quel miracle : qu'un matin je la retrouverais telle qu'elle était auparavant, vive, capricieuse et toujours prête, par jeu, à me donner des coups de tête. Plus tard, lorsque la neige aurait fondu, je la mènerais dans la prairie, et je l'imaginais déjà, la barbiche au vent, en train de gambader ou de brouter l'herbe nouvelle. C'était cela que je lui murmurais à l'oreille, quand je venais lui tenir compagnie dans cette étable sombre. Mais soudain, la découvrant si faible, si lointaine, je compris qu'elle ne reverrait sans doute pas le printemps ni la montagne ni le ruisseau, et qu'elle allait mourir là, dans cette nuit. Je me souviens de ce que j'éprouvai alors : pitié, tendresse, désarroi ; et les images sinistres qui, depuis quelques jours, rôdaient dans ma tête soudain affluèrent.

J'appelai mon père, que j'entendais marcher dans le fenil.

– Viens vite ! Zoé va très mal. Elle ne bouge presque plus.

– Ah ! Je descends.

Il s'accroupit près de moi, et, rien qu'à l'expression de son visage, je sus qu'il n'avait pas d'espoir. Il avait posé une main sur le flanc de la chèvre, et il la contemplait en silence.

Je demandai :

– Qu'est-ce qu'on peut faire ?

– Pas grand'chose, dit-il. Donne-lui un peu d'eau.

J'approchai l'abreuvoir, mais elle ne le remarqua même pas. Mon père y trempa ses doigts, et, lorsqu'il lui humecta les babines, elle eut un léger sursaut.

– Il vaut mieux que tu ne restes pas ici, dit Pa. Je vais m'occuper d'elle. Va dans la salle, et surtout ne dis rien à Noémie.

J'ai fermé la porte de l'étable, mais je suis resté là quelque temps, dans le couloir, ma lampe à la main. Je voyais un rai de lumière sur les dalles, et je ne percevais plus qu'un vague murmure. Je serrais les dents, j'avais envie de pleurer, et soudain j'ai eu le sentiment que nous étions tous perdus.

La chèvre est morte ce jour-là, un peu avant midi.

C'est étrange, comme je suis obsédé par la mort des bêtes : le premier chat que nous avions eu à Paris, le vieux chien recueilli à notre arrivée à la montagne. Puis Zoé. Surtout Zoé!

Maintenant encore, et en particulier dans les fins d'après-midi, lorsque la lumière défaille et que le crépuscule, on dirait, suinte des toits, il m'arrive de revoir leurs pupilles d'agonisants et de sentir dans ma main le froid qui peu à peu les gagnait. Il y eut pourtant, à cette époque, beaucoup de cadavres, mais ils restaient lointains et presque abstraits, comme les images sanglantes que nous montre la télévision, et dont nous finissons par ne plus savoir si elles sont réelles ou fictives. Alors que l'agonie de mes bêtes, je l'ai dans les yeux et dans la peau, d'une certaine façon. Cela fait une sacrée différence. Je crois que, pour moi, elles ont réussi à résumer la mort.

Ce jour-là, lorsque Pa est entré dans la salle, et qu'il a dit d'une voix faible: «C'est fini!» Noémie et moi, nous avons éclaté en sanglots. Ma mère aussitôt nous a serrés contre elle, et elle a essayé de nous consoler en disant les choses que l'on raconte dans ces cas-là: que Zoé n'était plus très jeune, qu'elle n'avait pas souffert, que nous aurions une autre chèvre, plus tard, c'était promis!

Noémie criait: «Non, non, pas une autre; c'est Zoé que je veux!» Nous devions former un tableau navrant tous les trois, dans la lueur du feu, et, à voir notre accablement, Pa lui-même, cette fois, avait l'air tout à fait démoralisé.

Nous avons réussi à nous calmer un peu et à nous mettre à table. Les yeux rougis, nous mangions du bout des dents. Noémie baissait la tête, et parfois elle était encore secouée par un sanglot. Puis Hector a sauté sur ses genoux, et sa présence a paru la réconforter.

– Où est-ce qu'on va l'enterrer, Zoé? a t-elle demandé.

– Je ne sais vraiment pas, a dit mon père. Il n'y a aucun endroit dans la maison.

– Alors, qu'est-ce qu'on va faire?

Si nous l'ensevelissions dans la neige, près de la terrasse, les loups affamés, et qui avaient du flair, ne tarderaient pas à dégager le cadavre et à le dévorer. Cela nous semblait abominable, et Pa écarta aussitôt cette solution.

Après avoir réfléchi, il dit qu'en revanche nous pourrions creuser, à partir du couloir d'accès au tas de bûches, une sorte de boyau qui servirait de tombe. Sous six mètres de neige, la pauvre Zoé y serait à l'abri, et, de plus, nous prendrions toutes les précautions pour qu'aucun carnassier ne puisse s'emparer d'elle, même s'il s'aventurait à cette profondeur. Cette fois encore, ce fut le grenier qui nous procura ce dont nous avions besoin : une corde, un morceau de bâche et une caisse, longue et robuste, en guise de cercueil. Mon père y déposa la chèvre, après l'avoir enveloppée dans la toile qu'il lia solidement. Noémie, les larmes aux yeux, s'approcha alors, et glissa dans le cercueil un mystérieux rouleau de papier, maintenu par un élastique. Enfin Pa cloua le couvercle.

Il passa une partie de l'après-midi à creuser une galerie d'environ deux mètres. de profondeur, dont le déblai, entassé dans des cuves, nous fournirait de l'eau pour la semaine. Puis, lorsqu'il eut achevé, il y poussa la caisse. Nous assistâmes tous aux différentes phases de la cérémonie, dont la réussite, d'une certaine manière, atténua notre tristesse.

Enfin Pa, à grands coups de pelle, referma le tombeau, en tassant fortement la neige, et il nous promit que, sitôt le dégel, nous irions enterrer Zoé dans la prairie, à l'ombre du bouleau.

Dans l'étable, la vache ruminait, couchée sur la paille, et, quand nous l'avons laissée seule dans le noir, elle a tourné vers nous la tête, et s'est mise à meugler doucement.

XII

Man est malade. La fièvre, pas d'appétit, des douleurs partout. Nous disons : «Ce n'est rien, la grippe, ça va passer!» Elle hoche la tête, elle dit : «Oui, oui, bien sûr...» Elle est assise devant le feu, une couverture sur les épaules, elle frissonne. Elle a voulu se lever, ce matin, mais elle tenait à peine debout. Pa l'a installée dans un fauteuil ; elle regarde fixement les flammes, puis elle ferme à demi les paupières, comme si d'un instant à l'autre elle allait s'endormir. Je vois des gouttes de sueur sur son front et un pli qui s'est creusé au coin des lèvres.

– Comment te sens-tu ? demande mon père.

– Pas très bien, dit-elle.

– Tu ne veux pas aller te coucher ? Tu serais mieux. On laissera la porte ouverte, si tu préfères.

– Oui, je vais y aller. Vous vous débrouillerez tout seuls ?

– Ne t'inquiète pas !

Lorsqu'elle quitte le fauteuil, elle a un brusque frisson, et ses mains sont brûlantes.

– Soyez sages tous les deux. Il faudra aider votre père.

Dès qu'elle s'est éloignée, Pa jette un coup d'œil à l'horloge, et il dit que c'est l'heure de la classe. Il me donne un exercice de grammaire, et je m'installe devant mon papier, tandis qu'à l'autre bout de la table il fait une dictée avec Noémie. C'est une page de Jean

Giono, dans laquelle l'auteur évoque le retour des troupeaux après la transhumance, et où sonnent les mots lumière, parfum, feuillage, soleil comme autant de nostalgies. Mon père lit lentement, à voix basse, et Noémie, penchée sur son cahier, écrit avec application, et parfois s'arrête pour mordiller le capuchon de son stylo.

De temps à autre, Pa se dirige vers la chambre, sur la pointe des pieds, et il écoute, dans l'obscurité.

– Je crois qu'elle dort. Ne faites pas de bruit ! Est-ce que tu as relu ta dictée, Noémie ?

Puis il pose une main sur mon épaule, et il parcourt les quelques lignes que j'ai rédigées. «Bien, très bien. Continue !» L'après-midi se passe ainsi, et quand nous avons terminé, Pa corrige notre travail, il nous parle de la Provence, au siècle dernier, des rites, des coutumes, mais je sens qu'il a l'esprit ailleurs.

Au soir, elle allait plus mal : une respiration sifflante, une voix éteinte, parfois un gémissement. Elle avait essayé de se lever, mais à peine eut-elle posé le pied par terre qu'elle renonça.

Mon père avait préparé le repas, et nous nous étions tous trois attablés en silence devant un reste de soupe et un plat de pommes de terre. Je voyais l'inquiétude sur les visages, et peu à peu une angoisse me prenait à la gorge. Qu'allait-il arriver si Man était gravement malade ? Pas de médecin, et, pour ainsi dire, pas de remèdes, en dehors de quelques médicaments dans un tiroir et des simples accrochées aux poutres du grenier. Et comment savoir de quoi elle souffrait ? Mon père parlait de grippe, de bronchite, mais il n'était guère plus savant que nous. Je priais pour qu'il eût raison et pour que Man fût vite guérie; mais une autre voix, de plus en plus pressante, me soufflait des mots terribles, et que Man allait peut-être mourir, comme Zoé, qui maintenant était couchée toute seule dans sa boîte, au milieu de la neige. Je nous voyais déjà creusant une autre tombe, et les images étaient si précises que j'en avais les larmes aux yeux.

Pour ajouter à notre désarroi, les loups étaient revenus, ce soir-là, et nous entendions là-haut leurs hurlements sinistres. Man aussi les avait entendus dans son demi-sommeil. Elle disait: «Ah, qu'ils partent, qu'ils partent! Je ne peux plus les supporter!» Je suis certain qu'à cet instant mon père a regretté de ne pas posséder d'arme, et que, s'il avait eu un fusil, il aurait ouvert la grille, il serait monté sur la terrasse, et que là il aurait tiré, tiré rageusement sur les sales bêtes. Car, dans son impuissance, c'est ce qu'il maugréait entre ses dents: «Les sales bêtes, ah, les sales bêtes!» et je le voyais serrer les poings comme s'il avait voulu les étrangler.

Puis il est allé dans la chambre, près de Man, et je ne comprenais pas ce qu'il disait, car il parlait à voix basse, un murmure, presque une berceuse, et ce devait être des paroles consolantes, car Man peu à peu s'est calmée.

Plus tard, mon père est monté au grenier, et il en est revenu avec deux bottes d'herbes: de l'armoise et de la bourrache, a-t-il dit, et, rassemblant les braises, il a préparé une tisane.

Comme les loups continuaient leur tapage, il a jeté dans le feu quelques-unes de ces mèches de soufre dont on se servait jadis pour désinfecter les futailles. Il prétendait avoir lu que l'odeur éloignait les bêtes. On verrait bien. Puis il a allumé un fagot pour activer le tirage. Je ne sais pas si c'est à cause du soufre. Toujours est-il que les loups ont fini par se taire.

Un cri me réveille au milieu de la nuit, je m'arrache à mes couvertures, j'écoute dans le noir, et tout de suite je reconnais la voix de ma mère, pressée, haletante, de l'autre côté du mur. D'abord je ne comprends pas très bien ce qu'elle dit. Des mots seulement: peur, mordre, horrible. Peur, à nouveau. Puis une longue plainte qui me glace, et aussitôt le murmure de mon père: «Calme-toi! Là, calme-toi, ce n'est rien…» Mais elle ne se calme pas, elle se remet à crier. «Non, il ne faut pas, dit encore mon père. Tu vas réveiller les enfants.» Man continue de parler, et cette fois je la comprends. Elle dit que les loups ont forcé la fenêtre, qu'ils sont entrés dans le grenier, qu'ils approchent, elle le sent. Et maintenant ils sont dans la chambre, elle les voit, oui: leurs yeux, leurs crocs, du sang sur leur fourrure. Puis un coup frappé dans la cloison. J'imagine que Man, terrorisée, se débat, et que mon père s'efforce de la retenir dans le lit. Il répète: «Il n'y a rien, je suis près de toi. La fièvre… un cauchemar…» Moi, je reste là, le cœur battant, et, comme si cette peur était contagieuse, je sens mes cheveux se dresser, et, un instant, je me demande s'il n'y a pas des bruits de pattes dans le grenier. Mais non, tout est silencieux, en dehors de la voix de ma mère, qui maintenant s'apaise, s'étouffe dans un sanglot.

J'ai froid soudain, je me glisse sous la couverture que je tire par-dessus ma tête, pour ne plus entendre, pour prier encore que tout cela cesse, que Man guérisse, et que nous recommencions à vivre comme avant la neige. Je voudrais m'assoupir, mais tout mon corps est tendu, et je reste aux aguets. Noémie doit dormir, dans sa chambre. Elle n'a pas bougé.

Puis, dans le silence, je perçois à nouveau le battement de l'horloge

Le ciel s'était un peu dégagé et les loups apparaissaient plus rarement, mais pour nous ce furent les jours les plus sombres. Man prostrée, tremblante de fièvre, refusait toute nourriture, en dehors des tisanes et parfois d'un verre de lait chaud, qu'elle avalait avec peine. Elle parlait peu, d'une voix faible, et, à la tombée de la nuit surtout, il lui arrivait d'être reprise par son délire. Elle bredouillait alors des mots sans suite, ouvrant des yeux qui semblaient ne pas voir.

Mon père passait des heures auprès d'elle, dans la chambre, tandis que Noémie et moi lisions ou faisions nos devoirs. Lorsqu'il lui fallait s'éloigner pour quelque tâche ménagère, il nous appelait l'un ou l'autre afin que nous le remplacions un instant. Une petite lampe brûlait sur la table de nuit, et, quand ma mère dormait, j'observais avec crainte son visage immobile. Parfois je m'approchais, inquiet de son silence, et j'étais rassuré de voir qu'elle respirait encore.

Je disais :

– Tu dors ! Veux-tu quelque chose ? Parle-moi !

Elle soulevait péniblement ses paupières.

– Ah, tu es là, Simon ?

– Oui, tout près, tu ne me vois pas ?

– Si, si, bien sûr, mais il fait tellement sombre ! Merci, je n'ai besoin de rien. Un peu d'eau peut-être...

Je l'aidais à boire, puis sa tête retombait sur l'oreiller

avec un soupir. Muette à nouveau, elle fermait les yeux et semblait oublier ma présence. Parfois, moi-même à demi somnolent, il m'est arrivé de croire que je veillais une morte.

Je sursautais, j'entendais les bruits de la maison. Pa allait et venait dans la salle, il tisonnait le feu, remuait des casseroles ou entassait des bûches dans la cheminée. Depuis la maladie de Man, il avait abandonné son travail de sculpteur, car le temps lui manquait, et je pense aussi que le cœur n'y était plus. La reine, inachevée, restait dans l'étau, parmi les gouges et les limes, et peu à peu elle se couvrait d'une fine pellicule de poussière. Bien qu'elle fût encore à l'état d'ébauche, je m'étonnais toujours de voir combien elle ressemblait à ma mère : les cheveux longs, la frange droite, les traits du visage et les yeux en amande auxquels ne manquait que le regard. Un soir pourtant, après le repas, mon père se dirigea soudain vers son établi, et il s'affaira pendant une heure. Plus tard, je vis qu'il avait terminé les mains de la reine et donné des pupilles à ses yeux vides.

Quant à notre éducation, je me souviens que, même à cette époque où tant de soucis nous accablaient, elle ne fut jamais négligée, comme si Pa avait senti qu'il fallait tenir sur tous les fronts, et que la moindre négligence risquait de mettre l'ensemble en péril. Son esprit était sans doute ailleurs, et je sais maintenant quels vertiges parfois s'emparaient de lui, mais il s'efforçait de n'en rien montrer.

Chaque après-midi, il nous appelait, Noémie et moi, il s'installait en face de nous, et, après avoir remis ses lunettes, il reprenait ses dictées, ses leçons d'histoire, de français, de géographie. Enfin il nous lisait quelques pages d'un roman ou, de plus en plus souvent, un poème. Aujourd'hui encore je me rappelle ces poèmes, j'en connais certains par cœur, que je me récite en silence, pour le plaisir des mots et des images. Cette petite anthologie intime, c'est à Pa que je dois de la posséder.

Depuis que Man était alitée, il parlait d'une voix plus basse, mais il laissait entrouverte la porte de la chambre, car il devait juger que la malade, lorsqu'elle percevait cette rumeur de vie, en était réconfortée.

Oui, à lire ses carnets, je comprends maintenant combien cette période fut pour lui difficile, et contre quelles angoisses il lui fallut lutter, sans pouvoir nous en faire la confidence. Il ne s'agit sans doute pas de littérature, dont d'ailleurs Pa ne se considérait pas digne, mais, comme toujours, de notes brèves, d'inventaires, de bilans auxquels se mêlent quelques réflexions. Ainsi que le capitaine d'un navire fait le point et continue de tenir son journal même au plus fort de la tempête, Pa consignait les événements de ce passage périlleux. C'était aussi une manière de se parler à lui-même, et je suppose qu'il en éprouvait quelque soulagement. Rien qu'à parcourir ces pages, il me semble entendre sa voix.

«La maladie de Marianne est la pire épreuve, et de me sentir si démuni me désespère. Les symptômes: forte fièvre, phases de délire, maux de tête, douleurs dans la poitrine. J'ai pensé d'abord à une forte grippe, puis à une bronchite, maintenant je me demande s'il ne s'agit pas d'une pneumonie. Je lui ai fait prendre ce qui restait d'une boîte d'antibiotiques: peu de chose d'ailleurs. J'ai également cherché dans mon livre de *Médecine par les plantes* si nous n'avons pas dans le grenier quelque remède. On recommande, pour les affections bronchiques, des infusions d'armoise et de bourrache.

J'en ai des bottes, que j'ai commencé à utiliser, ainsi que du tilleul, qui a des vertus calmantes. Je lui donne également du lait chaud, sucré avec ce qui reste de miel. A part cela, je ne peux qu'attendre et veiller sur elle.»

Et, le lendemain:

«Toujours la fièvre. 40° ce soir. Il me semble que Marianne s'affaiblit. Le délire s'est atténué, mais, tout à l'heure, quand je me suis penché vers elle, elle m'a dit qu'elle ne me voyait presque plus, ce qui m'a beaucoup inquiété. Les enfants, par bonheur, ne sont pas en mauvaise forme, et je crois qu'ils ne réalisent pas vraiment la gravité de la situation. Il faut à tout prix qu'ils continuent à remplir des tâches précises, à faire régulièrement leurs devoirs, à prendre l'air chaque matin et chaque après-midi, ce qui d'ailleurs est moins difficile, puisque, depuis trois jours, nous n'avons pas revu les loups. Je n'arrive pas à croire que le soufre seul ait été capable de les mettre en fuite.

Autre souci: notre nourriture qui s'épuise. Nous n'avons plus de seigle, de conserves, de porc salé, de riz, de pâtes, de choux. Je me demande si nous ne risquons pas, un jour ou l'autre, d'être atteints de scorbut; mais je crois que le lait et les œufs, que nous avons heureusement en quantité suffisante, peuvent nous en protéger.

Il nous reste:

Pommes de terre: 20 kg.
Raves : 5 kg.
Pommes : 10 kg (elles commencent à pourrir).
Noix : 3 kg.
Miel : 500 grammes.

Avoine : 60 kg environ, mais il faut la partager avec les poules.

Simon a fait de la farine d'avoine, qui nous permet de cuire un pain noir, très compact, d'un goût médiocre, mais qui doit être nourrissant.

Io donne de moins en moins de lait. Nous en sommes à trois litres par jour, et j'ai bien peur que cela n'aille en s'amenuisant. J'ai rêvé, l'autre nuit, que je tuais Io à coups de hache. Dieu veuille que nous n'en venions jamais là ! Les poules, ce serait moins difficile. Nous avons encore de quoi tenir une quinzaine de jours en nous restreignant, puis la situation deviendra vraiment critique, si personne ne réussit à nous secourir. Mais y a-t-il encore quelqu'un qui puisse nous secourir ?

Le pire, pourtant, c'est la maladie de Marianne. Si, par malheur elle devait disparaître, il me semble que nous ne pourrions pas longtemps survivre. Ce matin, j'ai senti rôder la folie. »

Et, deux jours plus tard, cette page, qui n'a pas cessé de m'étonner :

« L'état de Marianne est stationnaire. Pourtant, ce soir, la température a un peu baissé, et elle dort. J'ai pensé toute la journée à la fin du monde. Des voyants, des illuminés, des prophètes l'avaient annoncée pour l'an 2000. On en riait un peu partout, même si l'on avait secrètement peur. Puis l'année s'est écoulée, ni meilleure ni pire que les autres, et l'on n'y a plus songé. Je me demande si, avec un peu de retard, nous ne sommes pas confrontés à cet événement fatidique. Dans ce cas, je ferais l'hypothèse d'un déluge purificateur.

Je lis dans la Genèse :

« L'Eternel vit que la méchanceté des hommes était grande sur la terre, et que toutes les pensées de leur cœur se portaient chaque jour uniquement vers le mal. L'Eternel se repentit d'avoir fait l'homme sur la terre, et il fut affligé en son cœur. Et l'Eternel dit : J'exterminerai de la face de la terre l'homme que j'ai créé, depuis l'homme jusqu'au bétail, aux reptiles et aux oiseaux du ciel ; car je me repens de les avoir faits.»

Le mal, notre monde l'a commis pendant tout le siècle dernier, dont l'histoire est abominable, et plus encore dans les années récentes où se sont déchaînés l'orgueil, l'égoïsme, le cynisme, la haine, la violence, la destruction. Les dernières illusions de progrès se fissuraient, les robots devenaient incontrôlables, partout on voyait surgir les monstres.

Je lis encore :

«Et moi, je vais faire venir le déluge d'eaux sur la terre, pour détruire toute chair ayant souffle de vie sous le ciel ; tout ce qui est sur la terre périra.»

Pour nous, c'est un déluge blanc, glacé, figé : celui donc que nous avons mérité.

Mais Noé a trouvé grâce aux yeux de l'Eternel, qui établit avec lui son alliance ; il est la dernière chance donnée au monde de se racheter et de survivre. Je prie pour que nous soyons ici, tous quatre, les enfants de Noé.»

Voilà, entre autres choses, ce qu'écrivait mon père, au plus noir de la nuit, et, à relire ces pages, je comprends à quel point l'épreuve que nous traversions l'avait transformé. Auparavant il lui arrivait de nous lire quelques versets de la Bible, mais c'était comme une fiction, une légende, dont il nous vantait surtout le style et la beauté. Pour lui, ce livre n'était ni plus ni moins sacré que *l'Odyssée* ou *Moby Dick*. Désormais, et surtout depuis la maladie de Man, il prenait de préférence la Bible, et, avec ses petites lunettes, sa peau de mouton, sa barbe de plus en plus fournie, et le geste qu'il avait pour souligner de la main le rythme des phrases, on aurait dit l'un de ces patriarches que l'on voit sur les anciennes gravures.

Il revenait inlassablement sur certains passages : le déluge bien sûr, mais aussi la création du monde, la tour de Babel, le Livre de Job, et je sentais combien sa lecture en était devenue différente, comme s'il y cherchait des signes capables de nous éclairer sur notre destin, et de préserver une lueur d'espérance. Parfois, lorsqu'il avait refermé le gros livre relié de cuir noir sur ses genoux, il s'aventurait dans des méditations, des commentaires, et, plutôt qu'une leçon, c'était alors un long monologue, à voix basse, plein d'obsessions et de redites, dans lequel j'avais quelque difficulté à le suivre.

Lui qui s'était toujours montré si clair, si précis, dans l'enseignement qu'il nous donnait, soudain devenait obscur, pour moi du moins qui, à cette époque, n'étais pas encore accoutumé à ce langage. Il parlait de crime contre l'esprit, de culpabilité d'un monde pervers, de châtiment de l'orgueil, et il ajoutait que, nous non plus, nous n'étions pas innocents.

Noémie l'écoutait, les yeux exorbités, la bouche entrouverte, comme si elle l'avait suivi sur cette pente fabuleuse. Moi, je restais perplexe, et, cette fois encore, je me sentais exclu. Ce mot de culpabilité, qui revenait dans le discours de mon père, aggravait mon inquiétude, et je me demandais de quoi je pouvais bien être coupable. J'aurais voulu l'interroger, mais je n'osais le faire, et je crois d'ailleurs qu'il ne m'aurait pas entendu. En ces instants, il semblait être ailleurs, et, dans mon malaise, j'avais hâte qu'il redescende parmi nous, et que nous reprenions nos tâches quotidiennes.

Etait-ce là ce frôlement de la folie qu'il mentionne dans l'une des pages de ses carnets? A treize ans, j'aurais été disposé à le croire, mais maintenant, avec le recul, il me semble mieux le comprendre. Dans un sursaut il s'était arraché à la dérision des villes; il avait cru trouver dans la solitude, dans le recueillement et la beauté d'un lieu encore épargné, une sorte de salut. Pendant quelques années, nous avions connu un bonheur dont nous ne savions pas combien il était fragile. Désormais, face à cette inconcevable malédiction qui frappait le monde, et ne nous avait pas épargnés, il *cherchait un sens*.

Ma mère toussait dans la chambre voisine. A ce bruit, il dressait l'oreille, il se taisait, puis, posant le livre, il se levait pour aller la rejoindre. Noémie poussait un soupir, et nous restions là tous deux, immobiles, perdus, sans rien trouver à nous dire.

Pa continuait de marquer les jours sur le calendrier, où les coches faisaient maintenant une grande tache sombre. Nous étions ensevelis depuis cinq semaines, Man était malade depuis une semaine, et nous savions que le printemps était venu, même si rien ne le révélait vraiment. Les jours étaient certes plus longs, mais le ciel restait pesant, et, lorsque nous apercevions le soleil à travers les nuages, c'était un disque pâle, qui faisait plutôt penser à la lune. Le froid persistait, et s'il n'était pas très vif, la température dépassait rarement le zéro.

Rien n'annonçait la proximité de la fonte des neiges, et la croûte, qui s'était peu à peu formée à la surface, restait insuffisante pour supporter notre poids.

Le printemps! Dieu sait si nous en rêvions à cette époque: la plus dure, la plus noire. Cette fois, il n'était pas au rendez-vous, et nous ne pouvions rien faire d'autre que nous souvenir: une brise tiède qui coule entre les arbres, la dernière neige amincie sur les ubacs, un air léger, un ciel couleur pervenche. Et vite les fenêtres ouvertes, les géraniums anémiques tirés de la cave pour ressusciter dans la lumière. Dans toute la maison, et dans nos cœurs, une petite musique de fête.

Les années précédentes, il nous arrivait d'installer une table, contre la façade, pour y déjeuner. Je me rappelle la joie que j'éprouvais, après les mois d'hiver, à me retrouver ainsi dehors, et à sentir la chaleur du soleil sur mon visage. Je fermais les yeux, je respirais profondément, puis je soufflais comme pour chasser les derniers vestiges du froid. Un coucou chantait au loin, et ses deux notes flûtées, dans le silence de la forêt, me semblaient être la voix même du renouveau.

D'autres images encore: une brume de bourgeons dans les mélèzes, les premières jonquilles près du torrent, la courbe vert pâle des prairies, les marmottes qui sortent de leurs tanières et sifflent dans la rocaille. Et puis les vols d'hirondelles, le parfum mouillé de la terre, le grouillement des insectes et des graines!

Man mettait sur l'électrophone un disque de Mozart, qu'elle devait seul juger digne de telles circonstances. La vache et la chèvre batifolaient dans le pré, les poules grattaient le fumier, et le chat se prélassait sur le tas de bûches. Une mouche encore somnolente titubait dans un rayon de soleil et se frottait les ailes.

Et nous, nous étions là, les coudes sur la table, à pousser des oh! et des ah! lorsque Man apportait la nourriture. Oui, nous avions connu alors des instants de vrai bonheur, et je les ai souvent évoqués, dans la nuit de notre prison, avec une nostalgie qu'aggravait la crainte de ne plus les voir revenir. Je comprenais aussi que c'est dans le dénuement que l'on sent tout le prix des choses les plus simples, et combien leur absence nous appauvrit. Si le printemps nous était rendu, ah! comme je me promettais de n'en rien perdre.

Le soleil pâle et rond qui se lève sur la montagne ressemble tellement à la lune que, chaque matin, je le regarde, interdit, et, plusieurs fois, je me suis demandé s'il n'y avait pas là quelque monstrueux bouleversement de l'univers. Pourtant, le jour succède à la nuit, la nuit au jour, mais l'air immobile, le ciel uniformément gris, la neige immuable suggèrent un monde paralysé, où l'on s'étonnerait à peine que le soleil ou la lune s'arrête, suspendu au milieu de sa course, et que tout à coup ce soit toujours la nuit ou toujours le jour.

Levant les yeux, nous essayons de suivre sa lente progression à travers le ciel.

– Elle bouge, dit Noémie.

Je la corrige:

– *Il* bouge.

– C'est la lune.

– Non, c'est le soleil.

– C'est le soleil, dit Pa Simon a raison. Il s'est levé là-bas, à l'est, sur la crête.

Donc c'est le soleil, et pourtant il reste sans éclat ni chaleur, même lorsqu'il atteint le zénith, et très vite, dès l'après-midi, il s'enfonce dans un banc de brume. Son fantôme un instant s'attarde, puis peu à peu s'efface. La nuit s'annonce, l'horizon s'obscurcit, une plus vive inquiétude me serre la gorge, et c'est alors que je me demande, malgré moi, si le jour, demain, apparaîtra à nouveau.

Les nuits sont maintenant sans lune, sans étoiles, et le silence, l'obscurité deviennent si accablants que nous nous serrons autour du feu et de la lampe. Nous regardons les flammes, nous parlons à voix basse, ou bien encore Pa ouvre un livre et nous lit quelques pages. Je l'écoute, et peu à peu mon angoisse s'allège.

Parfois Man se plaint dans la chambre, et parfois aussi elle nous appelle, Noémie et moi. Nous nous tenons debout près du lit, elle tend vers nous un bras maigre, touche nos mains, notre front; elle demande :

– Qu'est-ce que vous avez fait aujourd'hui? Vous avez été bien sages? Dites-moi!

Nous lui racontons les menus événements de la journée, mais, pour ne pas l'inquiéter, nous ne lui avouons pas notre peur.

– C'est bien, dit-elle, vous êtes très gentils et courageux. Maintenant vous pouvez aller aider votre père.

– Il faut que tu guérisses très vite, dit Noémie.

– Oui, oui, c'est promis. De vous avoir près de moi, je me sens déjà mieux.

Mais je devine dans sa voix, dans sa main qui se pose sur la mienne, une extrême fatigue, et parfois il me semble qu'elle renonce, qu'elle commence à perdre pied et à se laisser emporter.

Puis brusquement, un matin, la fièvre tomba, et je vis, à l'air heureux de mon père, qu'il avait repris espoir. Après dix jours d'égarement et de souffrance, pendant lesquels elle avait semblé peu à peu s'éloigner de nous, ma mère retrouva soudain sa vitalité. Elle demanda à s'asseoir dans le lit, adossée aux oreillers, puis elle se mit à tresser ses cheveux comme elle le faisait auparavant. Lorsque vint midi, elle déclara qu'elle avait faim. J'allai aussitôt chercher à la cave une cruche de lait, un fromage et quelques pommes de terre, tandis que Pa sortait de la huche le dernier pain de seigle que nous avions conservé pour elle.

Man déjeuna de bon appétit, puis elle s'endormit d'un sommeil paisible, délivrée des cauchemars qui l'avaient longtemps tourmentée.

Le lendemain, elle était debout, amaigrie, encore un peu chancelante. Elle allait et venait dans la maison, s'appuyant parfois aux meubles ou touchant du doigt un objet, comme si elle le redécouvrait avec émotion; et moi, de la voir ainsi, ressuscitée, oui, et plus belle encore, je sentis me traverser une joie telle que je n'en avais éprouvée depuis des jours et des jours. Il y avait là quelque chose d'incongru, je le savais, car notre situation devenait de plus en plus dramatique : rien dehors n'avait changé, nos provisions s'étaient raréfiées, nous n'avions plus du tout de viande, mais à nouveau nous étions réunis, et la mort, comme les loups, s'était pour l'instant éloignée.

C'est alors que, poussé par le besoin, Pa décida de sacrifier l'une de nos poules, qui depuis quelques jours avait cessé de pondre. Il fallait, disait-il, que Man reprenne des forces, et une poule au pot serait une nourriture idéale. Personne, cette fois, ne protesta, pas même Noémie, qui pourtant versa une larme silencieuse et alla s'asseoir dans le coin de la cheminée, les coudes sur les genoux.

Sans doute mon père, sa décision prise, préférait-il procéder sans plus attendre au sacrifice, car je le vis s'emparer furtivement d'un couteau et le glisser dans sa poche. Il resta un instant près de la porte du couloir, à fourrager dans sa barbe, puis il sortit, une lampe à la main.

Un peu plus tard, nous entendîmes dans le poulailler des caquètements frénétiques, un bruit d'ailes agitées, puis un choc sourd, comme si un objet pesant était tombé sur le plancher. Enfin monta un long cri guttural, déchirant, qui semblait ne pas devoir cesser. Noémie, toujours immobile, s'était bouché les oreilles. Le cri se fit plus rauque, et brusquement s'étrangla. Il n'y eut alors, dans le silence, que les menus craquements du feu.

Comme ce silence se prolongeait, et que Pa n'était pas de retour, ma mère, sans doute inquiète, me souffla: «Tu devrais aller voir, Simon!» Je n'avais certes pas très envie d'*aller voir,* mais, pour ne pas la contrarier, je me levai et partis à tâtons dans le couloir. Le poulailler était dans l'obscurité, et je n'entendais, derrière la cloison, que des gloussements craintifs. Mais il y avait sous la porte du cellier un rai de lumière.

Pa était assis sur le coffre à grain, la lampe près de lui, et il plumait la poule morte qu'il serrait entre ses genoux. Il y avait déjà sur le sol une masse blanche, et le duvet, s'échappant de sa main, volait comme de la neige. Un peu plus loin, une jatte de porcelaine était à demi pleine de sang, qui en avait éclaboussé le bord. Le couteau, que Pa avait jeté sur les dalles, était lui aussi taché de sang.

Pa tourna la tête vers moi, mais il continua d'arracher les plumes, comme s'il était pressé d'en finir.

– Tu vois, c'est fait, dit-il.

– Oui. Ça n'a pas été trop dur?

Il hocha la tête d'une manière évasive.

– Bah, tu sais, il le fallait bien. Je suppose que l'on s'habitue à tout.

Moi, à vrai dire, je m'habituais mal au spectacle du sang dans la jatte, et je détournai les yeux. Je fus sur le point de dire: «Pauvre poule!» mais je préférai me taire. D'ailleurs, au fur à mesure qu'apparaissait le ventre dodu de la volaille, je sentais s'effacer ma pitié, et c'était une faim puissante qui me tenaillait.

La poule fut mise aussitôt dans la marmite, la marmite suspendue à la crémaillère, et, le soir même, nous mangeâmes une grande assiettée de bouillon et une partie de la viande, dont le reste fut conservé pour les jours à venir. Je me souviens qu'après notre régime de pommes de terre, de fromage et de pain d'avoine, ce repas me sembla merveilleux, et que je l'aurais volontiers prolongé, si Pa n'avait par prudence emporté le plat. En face de moi, Noémie se léchait les babines comme un renard, et l'on devinait qu'elle avait réussi sans trop de mal à dominer sa tristesse.

Vers cette époque-là, je fis un cauchemar particulièrement horrible: je mangeais ma mère. Fallait-il que je fusse obsédé par la faim pour être en proie à de telles abominations! J'étais assis dans la salle, et je dévorais un quartier de viande, d'ailleurs peu identifiable – une cuisse probablement – mais dont je savais qu'il appartenait à ma mère. Il était rôti, tendre, savoureux, et son goût rappelait celui des gigots de mouton que l'on nous servait jadis, le dimanche. J'y mordais à belles dents, et bientôt il ne me restait plus dans la main qu'un os nacré et comme phosphorescent.

C'est alors seulement que j'étais saisi d'épouvante et de remords. Man était morte. Peut-être même l'avions-nous tuée. Comment avions-nous pu commettre un tel forfait? J'entendais alors une voix, qui était celle de mon père: «Il en reste, tu sais!» et il ouvrait la porte sur une grotte de neige aux parois étincelantes où une forme blanche était étendue. Je criais: «Non, non!» et j'essayais de m'enfuir, mais de la glace m'enserrait les chevilles, et j'étais incapable de bouger.

Soudain je m'étais réveillé, la sueur au front, empêtré dans ma couverture, et il m'avait fallu quelques minutes pour retrouver un semblant de calme. Non, le crime n'avait pas été commis, Man était toujours vivante, mais le seul fait de porter en moi de telles images n'était-il pas déjà monstrueux? Mon esprit devait être bien malade, et je me demandais même si je n'étais pas entré dans la folie. Je me souviens que mon angoisse se prolongea pendant les jours qui suivirent, et que je n'osai raconter mon rêve à personne, ce qui pourtant m'aurait sans doute soulagé.

Maintenant, des années plus tard, je ne peux encore y songer sans malaise, et si je ne m'étais pas promis de relater fidèlement nos épreuves, j'aurais renoncé à faire une telle confession. Du moins montre-t-elle combien ces longues semaines d'emprisonnement avaient peu à peu miné notre corps et notre esprit, et quel égarement risquait de s'emparer de nous si nul secours bientôt ne survenait.

XIII

C'est Noémie qui l'a vu la première. J'étais dans l'étable en train de changer la litière, lorsque je l'ai entendue appeler, là-haut, sur la terrasse.

– Il y a quelque chose qui bouge dans le ciel. On dirait un oiseau. Venez vite !

J'ai eu tôt fait d'escalader l'échelle, et je me suis retrouvé près de ma sœur, qui, très excitée, le bras tendu, me montrait un point au-dessus de la crête.

– Là ! Tu vois ? Il s'approche, criait-elle.

C'était en effet un oiseau, dont, malgré la distance, on percevait le battement d'ailes. Il y avait quelque chose de stupéfiant et d'émouvant à la fois dans cette apparition, puisque, durant des semaines, le paysage était resté désespérément vide, et qu'en dehors de l'incursion des loups, il ne nous avait pas donné le moindre signe de vie. Et voilà que, tout à coup, dans la lueur grisâtre de l'aube, avait surgi ce visiteur !

Alertés par nos cris, mon père et ma mère nous avaient rejoints, et, en silence, nous regardions l'oiseau. Après avoir décrit quelques cercles, il se dirigea vers nous, d'un vol lent et désordonné, comme s'il parvenait mal à contrôler le mouvement de ses ailes. Cela lui donnait une allure hésitante et maladroite, et l'on aurait pu croire qu'il s'agissait non pas d'un animal mais d'une sorte de marionnette ou de cerf-volant maintenu au bout d'une corde par un personnage invisible, qui lui eût imprimé de brusques secousses.

Lorsqu'il fut arrivé au-dessus de la terrasse, je remarquai qu'il était d'une extrême maigreur, et que son plumage, terne et gris, laissait deviner une puissante ossature. Il n'appartenait d'ailleurs à aucune espèce familière : par sa taille et son aspect, il tenait à la fois de l'épervier, du héron et du goéland. Pour tout dire, il y avait en lui quelque chose de fabuleux, et je songeai à l'un de ces oiseaux de cauchemar qu'avaient peints Jérôme Bosch, Goya ou Max Ernst dans des tableaux dont Pa nous montrait parfois des reproductions. Aujourd'hui encore, tandis que j'évoque cette scène, je me demande de quel pays ou de quel jardin zoologique abandonné pouvait sortir cet animal insolite, et s'il n'était pas une sorte de mirage, né de nos imaginations devenues fébriles.

Pourtant, lorsqu'il passa au-dessus de nous, nous sentîmes le frôlement de l'air, et instinctivement nous courbâmes un peu le dos. Mais, sans plus se soucier de nous, il alla se poser sur le tas de fumier, replia ses ailes, nous fixa un instant de ses yeux ronds, puis aussitôt, enfonçant son bec dans les détritus, il se mit à fouir avec frénésie. Que pouvait-il chercher ? Des insectes, des vers, quelques graines oubliées ou simplement de la paille ? Cet affamé ne devait pas être difficile, et, à le voir engloutir, il était clair qu'il trouvait sa pâture.

A un geste que fit Noémie, il leva soudain la tête, ouvrit son bec, et poussa un cri rauque, tout en esquissant de ses longues pattes comme une danse grotesque. Ce cri, qui était à la fois un défi et une plainte, nous glaça le sang, et nous eûmes tous un mouvement de recul. Mais déjà il s'était détourné pour se remettre à sa besogne.

Comme le froid était vif, nous finîmes par le laisser

là, pour descendre nous réchauffer dans la cuisine. Un peu plus tard, lorsque je remontai avec Noémie, l'oiseau avait disparu, abandonnant le fumier ravagé, et, sur la neige, une plume gris fer que ma sœur s'empressa de ramasser.

– C'est peut-être un oiseau de lune, dit-elle, d'un air sérieux. Où est-ce qu'il peut bien nicher ? Tu crois qu'il va revenir ?

– C'est possible. Il ne doit pas y avoir beaucoup d'endroits où il trouve à manger.

– Pauvre oiseau ! J'aimerais tant qu'il revienne ! On pourrait s'occuper de lui.

C'était cela, ma sœur : pour tout ce qui bouge, rampe, trotte, vole, l'amour, la tendresse, parfois la pitié.

Cette visite de l'oiseau mystérieux prit pour nous une importance singulière, et, ce jour-là, autour de la table, il ne fut question que du sens que nous pouvions lui accorder. Man, qui depuis quelque temps était de nouveau la proie de ses idées noires, et devait en cachette consulter ses cartes, avait été impressionnée par la laideur de la créature, et je la soupçonnais de la considérer comme un présage néfaste. Noémie, toujours charitable, s'apitoyait sur sa maigreur, et elle proposait même d'aller déposer de la graine sur la terrasse. Nous nous récriâmes que c'était de la folie : nos réserves s'épuisaient, et nous n'allions pas nous sacrifier pour cet animal. Quant à mon père, très exalté, il y voyait comme l'approche du salut, et il parlait de la colombe, qui était venue annoncer aux habitants de l'arche la fin du déluge. Oui, c'était cela, disait-il : un message, un signe; la neige ne tarderait pas à fondre; bientôt, les arbres, la terre apparaîtraient, la vie retrouverait ses droits. Il avait pris la Bible sur la cheminée, il l'ouvrait, la feuilletait, et, bien sûr, il retrouvait aussitôt le passage que nous avions lu tant de fois:

«La colombe revint à lui sur le soir; et voici, une feuille d'olivier arrachée était dans son bec. Noé connut ainsi que les eaux avaient diminué sur la terre. Il attendit encore sept autres jours; et il lâcha la colombe Mais elle ne revint plus à lui. L'an six cent un, le premier mois, le premier jour du mois, les eaux avaient séché sur la terre. Noé ôta la couverture de l'arche: il regarda, et voici, la surface de la terre avait séché. Le second mois, le vingt-septième jour du mois, la terre fut sèche.»

Nous l'écoutions, immobiles. En lisant, il avait posé une main sur celle de Man, dont le visage s'était rasséréné.

– Pour nous, dit-elle, c'est une bien étrange colombe!

– Oui, et elle n'a pas encore apporté le rameau d'olivier, mais cela ne tardera pas.

– Tu le crois? Tu le crois vraiment?

– J'en suis certain.

Il se passa alors quelque chose qui, pour moi, fut encore plus émouvant que l'apparition de l'oiseau: Man se mit à sourire. Je regardais son visage, et soudain, non, je ne m'étais pas trompé, le sourire était là, faible sans doute, fugitif, mais il me sembla que c'était lui, la colombe, et qu'il nous apportait le vrai signe d'espoir.

Le soir, lorsque je fus couché, j'entendis mes parents converser longuement, à voix basse, dans la salle. Je ne pouvais comprendre ce qu'ils disaient, mais je sentais que leur angoisse s'était dissipée. Parfois, je saisissais quelques mots, une bribe de phrase. Ils parlaient de printemps, de prairies, de lumière.

– Je serai tellement heureuse de revoir les Jaule, disait ma mère. Pourvu qu'il ne leur soit rien arrivé !

– Tu les reverras, ne crains rien, répondait mon père, tu les reverras...

Et ses paroles se perdirent dans les crépitements du feu.

Je cessai d'écouter, et je me mis à prier comme chaque soir désormais :

– Faites, mon Dieu, que le soleil brille et que le monde soit sauvé. Et rendez-moi vite Catherine, que je n'ai pas oubliée.

Sous la porte, le rai de clarté s'avivait ou s'atténuait selon le mouvement des flammes. Le chat rôdait dans le fenil. Je savais tout à coup que ma prière ne serait pas vaine, et que bientôt nous serions délivrés.

Je revoyais l'oiseau tourner dans le ciel gris, de son vol maladroit, puis se poser, le cou tendu. Son bec s'ouvrait, ses pattes s'agitaient, il poussait le cri rauque qui nous avait fait sursauter.

Enfin je m'endormis, mais je continuai de rêver de l'oiseau. Immense, il agitait ses ailes comme des tentures poussiéreuses, il s'élevait droit sur les cimes, il s'enflait et se couvrait de plumes blanches. Je lui demandais : « Es-tu la neige ou le soleil ? » Il hochait la tête, et me regardait sans répondre, mais avec une grande bonté. Il grandissait encore, et il lui venait un visage d'homme, qui envahissait tout l'espace.

XIV

Etait-ce une coïncidence? Après le passage de l'oiseau, tout brusquement changea. Dès le lendemain le plafond de nuages qui, pendant des semaines, avait obscurci le ciel, se dissipa, et un soleil étincelant se leva sur la montagne. Il nous parut énorme, et nous fûmes stupéfaits de le découvrir au lieu du disque pâle qui ne répandait sur la neige qu'une clarté presque lunaire. Nous avions perdu l'habitude d'un tel éclat, qui d'abord nous éblouit. Je me souviens d'avoir alors retrouvé, sur mon visage, une sensation de chaleur que j'avais oubliée. Puis une brise légère souffla du sud, et ce fut comme si le monde s'était remis en mouvement.

Nous restions là, interdits, sur la terrasse, et nous nous demandions si notre longue épreuve n'allait pas, comme par miracle, s'achever. Man s'était adossée à la balustrade, face au soleil, les paupières baissées. A nouveau elle souriait. «On dirait que le printemps est enfin venu. Ce soleil, ce vent surtout! Il me semble que je respire…» Les yeux fermés, j'écoutais sa voix, celle de Noémie, une torpeur me gagnait, qui effaçait toutes les ombres.

Notre situation cependant était toujours aussi dangereuse. Si la neige se mettait à fondre, n'allait-elle pas provoquer un autre déluge, plus conforme, celui-là, à l'image qu'en donnait la Bible? A proximité d'un salut, jusqu'alors si peu prévisible, ne risquions-nous pas d'être emportés par les eaux? Et même si nous en réchappions, qu'allions-nous retrouver dans un monde où nous serions peut-être parmi les derniers survivants?

Toutes ces questions menaçantes ne tarderaient pas à nous assaillir, mais, pour l'instant, nul ne les posait à voix haute, comme si, d'un commun accord, nous avions tenu à préserver cette fragile parenthèse d'espérance.

Pendant les trois jours qui suivirent, le soleil continua de briller et le vent de souffler du sud. La neige, par bonheur, fondait lentement, et nous en mesurions sur des repères la décrue, partagés entre le soulagement et la crainte de quelque catastrophe, si elle venait à s'accélérer.

Un soir, une avalanche se déchaîna sur une pente, au-dessus de la route, arrachant sur son passage une partie du bois de sapins, avant de s'engouffrer dans la vallée avec un grondement, mais elle nous épargna. La petite crête rocheuse qui s'élevait au fond de la prairie protégeait le chalet, et lorsque quelques pans de neige s'y effondrèrent, l'espace plat freina aussitôt leur élan, de telle sorte que, là non plus, ils ne nous causèrent aucun dommage. Nous étions sans doute environnés de périls, mais au milieu de ces montagnes qui, après des semaines de paralysie, semblaient rejeter leurs carapaces, c'était malgré tout le sentiment de délivrance qui l'emportait. Jour et nuit maintenant, nous entendions le même bruit de l'eau qui ruisselait du toit, et creusait au long des murs de petits gouffres étincelants, au fond desquels se faufilaient des sources

Puis, tout à coup, un après-midi, je vois mon père tendre l'oreille, il entre dans la cheminée, il nous fait signe de nous taire, il écoute passionnément. Il dit: «Un bruit au loin, bizarre, on croirait un moteur!» Aussitôt il est repris par ses obsessions des premiers jours: le chasse-neige, Monsieur Marmion qui monte enfin pour nous dégager; ou bien l'avion de cinq heures, et cela signifierait que le monde n'est pas mort, qu'après le grand silence quelque chose s'est remis à fonctionner. Il regarde sa montre. Non, ce n'est pas l'avion de cinq heures. Un autre peut-être, mais peu importe. Quelqu'un qui existe encore, qui cherche, qui va nous secourir. Et maintenant nous entendons tous ce bourdonnement faible mais continu, qui nous parvient par le conduit de fumée.

Nous nous précipitons, une fois de plus, vers la terrasse, qui désormais, après ces jours de dégel, surplombe la neige d'un bon mètre. Le bourdonnement se fait plus distinct, et pourtant rien n'est encore visible. Il ne provient pas du petit col où s'amorce la descente vers la vallée, mais, semble-t-il, de derrière la haute crête qui nous domine, ce qui exclut l'hypothèse du chasse-neige, puisque de ce côté il n'y a pas de route.

Le cœur battant, je scrute la ligne d'horizon que hérisse la cime plus sombre des sapins, et je me souviens que là, pour la première fois, les loups sont apparus. Tandis que le bruit peu à peu s'accroît, une inquiétude me saisit, et je ne serais pas tellement étonné qu'à nouveau quelque chose d'épouvantable y surgisse, pour notre perte plutôt que pour notre salut. Je regarde mon père qui, avec des gestes fébriles, règle ses jumelles. Pendant quelques secondes, il n'y a plus que le choc monotone des gouttes sur la neige, et ce moteur qui maintenant troue l'air comme une vrille.

– Le voilà! s'écrie Pa. Là-haut, sur la gauche. Vous le voyez?

Et il montre du doigt un point sombre qui vient de franchir la crête, et semble la longer à une faible altitude. Il est encore trop loin pour que nous puissions l'identifier.

Pa continue de s'exclamer qu'il le tient, qu'il le suit. Ce n'est pas un avion. Une espèce d'hélicoptère, oui, c'est cela, mais de forme étrange…

– Ah! j'ai l'impression qu'il s'éloigne. Vite, il faut allumer le signal!

Nous nous apercevons que la frêle plate-forme qui soutenait la baignoire pleine de paille et de pneus a basculé pendant la nuit, sapée par la fonte de la neige, et que notre fameux signal gît en contrebas, inutilisable. Tout le monde s'affaire, se bouscule, et, dans cette confusion, Pa me crie de descendre jeter quelque chose dans le feu. Je dévale l'escalier, après avoir pris au passage une brassée de fourrage que je pose aussitôt sur les braises, avec tout ce qui me tombe sous la main: le paillasson, un sac, la toile cirée roulée en boule. Une épaisse fumée se dégage, et, lorsque je reviens sur la terrasse, je la vois s'étirer dans le ciel. L'hélicoptère survole toujours la crête, et, s'il ne change pas de cap, il ne va pas tarder à disparaître derrière la montagne. Désemparés, nous le suivons des yeux. Man et Noémie agitent frénétiquement leurs foulards.

Puis, soudain, le pilote a dû nous repérer, car l'appareil vire, décrit une longue courbe et se dirige droit vers nous. Il grossit d'instant en instant, le vrombissement s'accroît. Je commence à distinguer les détails de la carlingue. Il passe avec fracas juste au-dessus de nos têtes.

Etrange, oui, comme disait Pa. Nous n'avons jamais vu un engin semblable: énorme, trois rotors, une coque en forme d'œuf, mais complètement noire, à l'exception d'un mot tracé en grosses lettres, dans un alphabet inconnu. Les hublots, sans doute de Plexiglas teinté, ne révèlent rien de l'intérieur : ni silhouette ni visage. On pourrait croire ce vaisseau inhabité, venu peut-être d'un autre monde.

Man et Noémie ont cessé d'agiter leurs foulards. Par instinct, nous baissons la tête. Immobiles, stupéfaits, nous le regardons s'éloigner en direction du col où il accomplit un nouveau virage, et, perdant de l'altitude, revient vers nous, à dix mètres au-dessus de la neige. Le souffle des pales ébouriffe la cime des sapins, au bord de la route.

– Attention! dit Pa en nous poussant vers l'échelle. Tenez-vous prêts à filer en cas de besoin!

Lui reste un peu en arrière, sur le qui-vive.

L'appareil descend vers nous avec lenteur, comme s'il se disposait à atterrir, mais, bien sûr, ni l'étendue de neige visqueuse ni notre fragile terrasse ne se prêtent à cette manœuvre. Une trappe s'ouvre dans la partie inférieure de la coque, une masse sombre apparaît : une caisse, dirait-on, qu'un filin abaisse vers la plate-forme, où elle finit par se poser avec un bruit sourd.

Un déclic. La caisse est libérée, le filin aussitôt happé comme un spaghetti, et la trappe se referme en silence, sans que personne, cette fois encore, ait été visible. Après avoir esquissé une sorte de balancement gracieux, plutôt surprenant chez un tel pachyderme, et qui pourrait passer pour un signe d'adieu, l'appareil reprend de l'altitude, se dirige vers le col, et ne tarde pas à s'évanouir.

Il ne reste plus que ce colis volumineux, dont nous nous approchons avec un mélange de curiosité et de prudence, remarquant que lui aussi porte de mystérieuses inscriptions, pour nous indéchiffrables. Pa nous fait à nouveau signe de nous tenir à distance, et il fend avec son couteau l'emballage de plastique, dévoilant un coffre de métal noir, qu'il ouvre avec précaution. Il en tire des boîtes aux couleurs vives qui doivent renfermer des conserves, puis des paquets de biscuits, des sachets remplis de poudres, un petit réchaud avec des tablettes de carburant, trois paquets de cigarettes et un livre.

Depuis quelque temps, nous commencions à souffrir de la faim, car nous n'avions pris d'autre nourriture qu'un peu de lait, de fromage, quelques raves et un pain poussiéreux confectionné avec les dernières raclures d'avoine. C'était là tout ce qui nous restait depuis que, faute de grain, nous avions sacrifié nos poules. D'autre part, notre vache nous donnait à peine deux litres de lait par jour, et nous voyions avec terreur approcher l'instant où il nous faudrait l'abattre, puisqu'elle serait alors notre ultime recours avant la famine. Mon père a noté, dans son journal, combien le hantait, à cette époque, la perspective de plus en plus pressante de devoir exécuter la pauvre bête, de telle sorte qu'aux obsessions de la journée succédaient, la nuit, les images sanglantes des cauchemars.

L'apparition de l'hélicoptère tenait donc du miracle, puisque le contenu de la caisse nous accordait un sursis de quatre ou cinq jours, et peut-être même d'une semaine si nous faisions des prodiges d'économie. La neige aurait alors en grande partie fondu, et nous pourrions tenter une sortie, tout en sachant que, sur ce point, elle risquait d'être décevante. Si d'autres avaient survécu, sans doute se trouvaient-ils dans le même dénuement, et ils nous seraient de peu de secours. En revanche, l'hélicoptère ne manquerait pas de revenir. C'était du moins ce que nous affirmait mon père, soudain ragaillardi, tout en ouvrant, au hasard, l'une des boîtes-surprises tombées du ciel. Nous le regardions, les yeux écarquillés, et je me souviens que rien qu'à le voir découper le couvercle, l'eau me venait à la bouche. Ce qui apparut: un magma brunâtre, peu identifiable, et qui en d'autres temps nous aurait laissés maussades, nous exalta à un tel point que nous nous serions précipités comme des sauvages pour le dévorer, si Man, toujours cuisinière, n'avait insisté pour le servir chaud.

Il nous fallut donc attendre quelques minutes avant de nous jeter sur cette nourriture, que nous eûmes vite fait d'engloutir, avec quelques-uns des biscuits qui tenaient lieu de pain. Le goût n'était pas déplaisant, et rappelait celui de la viande de veau, à laquelle on eût ajouté du sucre, du citron et de la réglisse. Sans doute s'agissait-il, en réalité, de l'un de ces aliments synthétiques, riches en calories et en vitamines, que l'on commençait à fabriquer à partir du pétrole, et qui permettaient de se nourrir, de manière rationnelle, dans le minimum de temps. En effet, lorsque nous eûmes vidé la boîte, qui pourtant n'était pas de très grande taille, nous nous sentîmes rassasiés. A ce régime, c'était pendant dix jours que nous pourrions tenir!

Puis Man prépara, avec l'une des poudres, un breuvage qui ressemblait à du café, et Pa alluma une cigarette. Cela n'était pas arrivé depuis bien longtemps, et la fin du repas prit un petit air de fête. Nous nous mîmes à parler de notre étrange visiteur. Chacun y alla de son hypothèse: Pa prétendait qu'il venait d'Asie, comme le suggérait la forme des caractères; moi je penchais pour l'Afrique, peut-être à cause de tout ce noir, et Noémie parlait franchement de la lune. Les luniens, voyant le désastre, avaient envoyé des fusées géantes, bourrées de vivres, de machines, d'hélicoptères. D'ailleurs, ce que nous venions de manger, c'était tout à fait de la nourriture de lune! Quant à ma mère, qui jusque-là était restée silencieuse, elle déclara soudain qu'à son avis il n'y avait personne dans l'appareil, sinon nous aurions vu une silhouette, une tête, une main: bref, quelque signe de vie. Mais rien! Ce devait être un robot téléguidé. Par qui? Elle n'en avait pas la moindre idée.

– Avec ou sans pilote, dit Pa, je vous assure qu'il reviendra. Nous ne sommes plus seuls. Pour l'instant il est allé rôder du côté de chez les Jaule, et je ne serais pas étonné qu'ils soient, eux aussi, en train de prendre le café, en pensant à nous. Encore un peu de patience! On ne tardera pas à les revoir.

Dans les jours qui suivirent, le dégel s'accentua, libérant peu à peu les bois de sapins, et provoquant au loin de nouvelles avalanches, dont nous parvenait la rumeur. Les arbres émergeaient de la neige, mais certains, sous son poids, s'étaient brisés, et de vastes trouées apparaissaient sur les pentes.

Nous étions au début de mai. Le bruit de l'eau régnait partout: sur le toit, contre les murs et les volets, dans les rigoles qui se faufilaient sous la masse de neige, creusant des tunnels et des grottes, dont la voûte parfois brusquement s'effondrait. Du ravin montait le grondement du torrent qui se précipitait vers la vallée, de cascade en cascade, et, lorsque nous étions sur la terrasse, il nous fallait hausser la voix pour nous entendre. Des roches arrachées s'entrechoquaient. Entre les cimes volaient des écharpes de brume.

Il me semblait parfois que le sol vibrait et se dérobait. Une rumeur profonde traversait la maison, qui était celle de l'eau, du vent et de la terre. Je l'écoutais, troublé, après tant de semaines de silence, et c'était comme la vie qui affluait, même si je m'inquiétais de sa violence, la nuit surtout, lorsque craquait et gémissait la montagne. Je me souviens de m'être parfois éveillé, et d'avoir cru un instant que nous étions entraînés comme un navire à la dérive. J'allumais la lampe, je m'asseyais dans mon lit, je touchais la paroi, et, rassuré, je finissais par m'endormir.

Un soir, un pan de falaise, miné par la crue, s'effondra avec un fracas de tonnerre qui ébranla le chalet, et nous vîmes avec horreur, à l'autre bout de la prairie, de grands sapins s'incliner et basculer dans le gouffre.

Mais la maison fut épargnée par l'eau comme elle l'avait été par la neige, car elle avait été sagement bâtie sur une légère éminence, qui partageait et écartait le glissement du flot glacé.

Il n'était pas encore possible de s'aventurer à l'extérieur, mais nous attendions avec impatience le moment où la terre apparaîtrait, et où nous pourrions tenter de rejoindre les Jaule. L'expédition, pourtant, risquait d'être difficile. La route, les ponts n'auraient-ils pas été détruits? Et, si nous atteignions notre but, que trouverions-nous là-bas? Dans mes rêveries les plus noires, il m'arrivait d'imaginer une maison déserte, ravagée, où gisaient des cadavres grimaçants, comme dans les descriptions de la peste que nous donnaient les vieux livres. Quant au village, je le voyais plutôt dévasté par un fleuve boueux, qui emportait Catherine morte vers des gouffres.

Pendant des heures, mon père observait les alentours à la jumelle, et, bien qu'il n'en soufflât mot, je savais qu'il redoutait quelque gigantesque avalanche, qui nous eût engloutis. Le niveau de la neige continuait cependant à baisser, nous le constations chaque jour. Un matin, en entrant dans la salle, nous vîmes une lueur au-dessus de la porte. Pa se précipita pour tirer le vantail. En quelques coups de pelle, il eut vite fait d'ouvrir un créneau, par lequel se glissa un rayon de soleil: le premier que le chalet eût accueilli depuis des mois. Pa élargit la brèche, sans se soucier des blocs de neige qui tombaient sur le plancher. Un air frais et un flot de clarté pénétrèrent dans la pièce.

Man s'était penchée et soufflait la lampe.

– Bientôt nous pourrons sortir, dit Pa. C'est l'affaire de quelques jours!

Nous mesurons, chaque matin, l'épaisseur de la neige. Nous préparons des vêtements, des bottes pour cette première sortie tant attendue. Utilisant les quelques pneus qui nous restent, nous allumons des feux, mais c'est en vain que nous guettons une réponse à notre signal. Du côté de la ferme des Jaule, le ciel est désespérément vide. Qu'allons-nous trouver là-bas, lorsque nous réussirons à parcourir les trois kilomètres qui nous en séparent? Tandis que la fumée se dissipe, je pense à nouveau à des images de mort.

Pa, ses jumelles braquées sur l'horizon, répète:

– Toujours rien. C'est étrange! Mais avec ce vent, la fumée ne monte pas. Ils ne doivent pas nous voir!

Il n'y a plus qu'un mètre de neige boueuse dans notre cour, exposée au sud, et où l'on devine que la terre ne va pas tarder à apparaître. Le cercueil de Zoé a fini par émerger : un simple renflement d'abord, puis le couvercle de bois grossier. En l'apercevant, Noémie a versé quelques larmes, et, pour la consoler, Pa lui a promis que nous irions l'ensevelir dans le pré, dès que ce serait possible. Le cercueil reste là, comme une épave, et, moi non plus, je n'aime pas le regarder : un mauvais signe, qui me gâche le soleil.

Nous avons essayé de faire quelques pas jusqu'à la route, mais nos bottes se sont vite remplies de neige boueuse, et nous avons dû attendre encore.

Trois oiseaux ont traversé le ciel, très haut, en direction du nord. Le mystérieux hélicoptère, lui, n'est pas revenu. Bien que nous économisions, nos dernières réserves s'épuisent. Il ne nous reste qu'un peu de lait, quelques conserves, quelques raves, et nos repas n'ont jamais été si maigres.

Enfin, après une nuit de vent, la terre est apparue : une balafre sombre, de notre seuil jusqu'à l'entrée de la cour, que barre encore le vestige d'une congère.

XV

Mon père dit que, voilà, le moment est venu, on va faire une tentative, on verra. Si ce n'est pas possible, on recommencera demain, après-demain, on finira bien par passer...

Tous deux, nous nous équipons de vêtements chauds, comme pour une expédition polaire, nous prenons des pelles et une corde. Ma sœur voudrait nous accompagner, mais Pa, qui d'habitude ne sait rien lui refuser, déclare fermement qu'il n'en est pas question. Elle restera avec sa mère, et, plus tard, si la voie est libre, nous reviendrons les chercher. Noémie a beau faire des mines, verser une larme, il demeure inflexible.

Tandis que nous traversons la cour, je jette, au passage, un coup d'œil au cercueil de Zoé, encore à moitié enseveli, et un peu de travers. Le voir, comme cela, tout seul au milieu de cette boue, me serre le cœur, et vite je me détourne.

Man est debout sur le seuil, elle tient Noémie par la main, et son visage est anxieux.

– Soyez prudents! dit-elle. Si c'est trop dangereux, vous revenez.

– Promis! On y va, Simon! Tu n'as qu'à me suivre et poser les pieds dans mes traces.

Nos bottes font un bruit de succion lorsqu'à chaque pas il nous faut les arracher à la neige molle. Une fois franchi le portail, nous attaquons la congère avec nos pelles, et, après un quart d'heure d'efforts, nous finissons par la traverser. Sur la route, la couche de neige est moins épaisse, et parfois nous sentons même l'asphalte sous nos semelles. Pa, qui me précède, progresse lentement, la corde enroulée sur son épaule, et il se sert du manche de sa pelle comme d'une canne.

Il se retourne, fait un dernier signe vers la maison, et nous nous engageons sur la descente qui mène au torrent. Le vacarme est devenu si fort que nous ne pouvons plus communiquer que par gestes. Des sapins se sont abattus en travers de la route, et il nous faut nous frayer un passage entre leurs branches.

Par bonheur, le pont n'a pas été détruit, mais, en amont, d'énormes blocs, sans doute apportés par l'avalanche, se sont accumulés, formant un barrage au sommet duquel un flot lisse et gris s'élance, pour s'écraser avec fracas au fond de la gorge. L'eau tourbillonnante frôle l'arche, et, tandis que nous la franchissons, courbés, frappés au visage par un crachin glacial, je ne peux m'empêcher de penser que, si le barrage brusquement cédait, nous serions à coup sûr emportés. Mais nous atteignons sans dommage l'autre rive, où la marche devient moins difficile, de telle sorte que nous parcourons assez rapidement quelques centaines de mètres. Nous nous heurtons ensuite à un amoncellement d'arbres et de pierres, qu'il nous faut escalader. Le grondement du torrent a peu à peu décru, et je peux entendre la voix de mon père, qui me crie : « Attention de ne pas glisser. Tiens, attache-toi cela autour de la taille ! » et il me lance la corde qu'il a nouée à sa ceinture. Les pierres roulent sous mes pieds, des branches me giflent le visage, et je suis bientôt en sueur. Le paysage, ravagé, est à peine reconnaissable, et, dans la grande clairière, il ne reste rien de la cabane des bûcherons.

Bientôt s'enfle le vacarme de l'autre torrent, et, lorsque nous finissons par l'atteindre, nous constatons que le pont, cette fois, s'est effondré, et que ses vestiges, balayés par un flot puissant, sont impraticables.

Je rejoins mon père qui, appuyé sur sa pelle, examine le fond du ravin. Il me regarde et hoche la tête :

– Rien à faire, c'est dommage, nous étions bien partis !

Je remarque qu'il a une blessure à la tempe.

– Tu t'es fait mal ? Tu saignes, là.

– Bah, ce n'est rien : une branche, dit-il en s'essuyant avec son mouchoir.

C'est alors que, levant les yeux, j'ai aperçu, en amont, à travers la bruine, une silhouette.

L'homme est à une centaine de mètres, à mi-pente, sur l'autre rive du torrent. A cet endroit, les sapins, de haute taille, ont été épargnés, et nous le voyons, de dos, sur la lisière, occupé, semble-t-il, à abattre l'un des arbres qui surplombe la gorge. Sans doute est-il trop affairé pour remarquer notre présence, car nous avons beau hurler et gesticuler, il ne se retourne pas.

Cette apparition du premier être humain que nous ayons vu depuis plus de deux mois dissipe soudain la profonde angoisse que nous avons partagée, Noémie et moi, et que les propos réconfortants de mon père ne parvenaient pas à écarter : celle d'être les seuls survivants dans un monde devenu désert. Cela, bien sûr, nous terrorisait, et il nous était même arrivé de répandre quelques larmes. Et maintenant cette silhouette, là-haut, me délivre de la peur.

Mon père est brusquement passé du découragement

à une excitation qui lui est peu familière. Nous nous précipitons dans le sous-bois, sans nous soucier des buissons et de la neige accumulée dans les creux, où parfois nous nous enfonçons jusqu'à mi-corps. Pa continue de crier et d'agiter les bras. A un moment, il s'étale, mais il n'est pas long à se relever, et il se remet à gravir la pente, qui devient plus rude. Puis un coup de vent écarte le brouillard, et nous reconnaissons Sébastien.

A-t-il vaguement perçu nos cris ou bien, comme il prétend en posséder le don, a-t-il flairé notre présence, toujours est-il que soudain il lève les yeux. Il lâche aussitôt sa hache, fait des gestes frénétiques, et nous voyons sa bouche s'ouvrir de manière démesurée. Il doit hurler, mais ses paroles se perdent dans le bruit de l'eau. Tous trois, nous agitons les mains comme des sourds-muets, tandis que les tourbillons nous crachent leurs embruns au visage.

Enfin, nous désignant l'arbre dans lequel il a déjà pratiqué une profonde entaille, Sébastien nous fait comprendre qu'il veut l'abattre, pour le jeter, en guise de passerelle, en travers du torrent. La gorge, en cet endroit, n'a guère qu'une quinzaine de mètres, de telle sorte qu'avec beaucoup d'habileté et un peu de chance le projet semble réalisable. De l'habileté, Sébastien en a plus que personne, et, bien qu'il ait abandonné depuis des années la hache pour la tronçonneuse, il a vite retrouvé la cadence et le geste.

Après avoir manifesté sa joie, il se remet au travail avec acharnement, et les copeaux volent autour de lui. Enfin il nous fait signe de nous éloigner et donne les derniers coups de hache. Le sapin craque, frémit; un instant il semble hésiter, puis il s'incline et s'écrase, dans un fracas de branches brisées. La cime s'enfonce dans la neige à quelques pas de nous, puis tout redevient immobile.

Nous poussons des cris d'allégresse, et Sébastien lève le bras en signe de victoire. Pourtant, il lui faut encore batailler un bon quart d'heure avec les obstacles qui lui barrent le chemin, et qu'il tranche de son outil, au fur et à mesure qu'il progresse au-dessus du torrent. Nous avons bien essayé d'aller à sa rencontre, mais nos pelles ne nous sont d'aucun secours, et nous devons nous résoudre à l'attendre sur la rive, en l'encourageant de la voix. Plusieurs fois, son pied glisse sur l'écorce, et la fatigue ralentit ses gestes. Enfin il émerge du fouillis de branches, et, lâchant sa cognée, il se précipite vers nous.

Il y a un instant d'émotion que je ne suis pas près d'oublier. Sébastien a pris mon père par les épaules, et il lui donne une interminable accolade. Puis il m'attire vers lui et m'embrasse. Je sens contre ma joue sa moustache mouillée de sueur. Nous parlons tous trois ensemble, comme des fous, et nous avons les larmes aux yeux.

De cette confusion il ressortait que nous étions tous sains et saufs. Les Jaule, eux aussi, s'étaient tirés d'affaire sans trop de dommage, bien que, sous le poids de la neige, une partie du toit se fût effondrée. Sébastien l'avait étayé, non sans peine, avec des poutres et des balles de paille. Oui, ils avaient eu des moments difficiles, mais ils ne manquaient pas de nourriture, car leurs cinq vaches avaient survécu; ils avaient tué et salé leurs deux porcs, et il leur restait encore du grain et quelques centaines de kilos de pommes de terre.

Sébastien hochait la tête et criait que, bon Dieu, une neige pareille, on n'avait jamais vu ça, que le monde était devenu fou, et comment cette histoire allait-elle finir ? Il n'avait pas changé, il s'agitait et s'exclamait si fort que nous avions presque oublié le grondement du torrent.

Lorsqu'il apprit que nous étions presque au bout de nos ressources, il nous offrit aussitôt de partager, et, pour un peu, il serait descendu chez lui afin de nous apporter, sur-le-champ, quelques provisions. Mais mon père dit qu'il n'y avait pas d'extrême urgence, que la distance était trop grande, et que nos familles risquaient de s'inquiéter.

– Alors, demain. Comptez sur moi, dit Sébastien. Je vous préparerai ce qu'il faut. Vous verrez, tout s'arrangera, maintenant qu'on s'est retrouvés !

– Et le village ? demanda mon père. Vous avez des nouvelles ?

Ah ! le village, ça, il n'en savait pas plus que nous ! Le visiaphone avait été coupé dès le début de la tempête. Le chasse-neige n'était jamais monté. Depuis, pas un signe, à part un hélicoptère bizarre, qui sortait d'on ne sait où, qui avait lâché une caisse et s'était évaporé. Drôle d'animal, oui, et pas bavard. Quant à l'œuf qu'il avait pondu, il fallait avoir vraiment faim pour le manger. De la chimie, toute crachée ! Et la chimie… La veille, il avait essayé, lui, Sébastien, de faire une petite reconnaissance du côté de la vallée, en suivant la route ou ce qui en restait, mais, là non plus, il n'était pas allé bien loin. Le pont sur l'Aroise avait été complètement détruit. Ah, quel spectacle ! Une eau boueuse, des tourbillons, des arbres entiers qui se fracassaient contre les rochers. Et le vacarme ! Là, pas question de jeter une passerelle. Peut-être que l'autre pont, en aval, avait tenu, mais il en doutait. Et puis, vingt kilomètres, avec cette neige… Pour l'instant, ce qu'il fallait, c'était s'organiser, ici. Le reste, on verrait plus tard.

– Oui, c'est cela : s'organiser… répétait mon père.

Puis soudain :

– Notre chèvre est morte.

– Ah oui ? Vous l'avez mangée ?

– Non. Morte de maladie, de peur peut-être, je ne sais pas, quand les loups sont venus rôder.

– Et d'où ils sortaient, ceux-là ? Vous vous rendez compte : des loups ! On aura tout vu ! J'avais bien envie d'en fusiller quelques-uns, mais j'ai pensé que ça ne servirait à rien, et qu'il valait mieux économiser les cartouches.

– Ça pourra être utile pour le gibier, si toutefois il en reste.

– Pour le gibier, oui, et peut-être pour autre chose !

Autre chose ? Je me demandais ce qu'il voulait dire, Sébastien, mais je n'eus pas le temps de l'interroger, car déjà il s'était tourné vers mon père.

– Bon, il commence à se faire tard ! Alors, c'est entendu : vous venez déjeuner demain, tous les quatre. On aura le temps de parler.

Le lendemain, pas besoin de me dire deux fois de sortir du lit ! Dans mon impatience. je me levai au petit jour, vif et frais, comme si, la veille, je n'avais pas bataillé pendant des heures avec la neige. Je poussai les volets : ils s'ouvraient librement je respirais l'odeur de la forêt ; à l'horizon pâlissaient les dernières étoiles. Et ce paysage, que j'avais entrevu si souvent, le matin, avant de partir pour le collège, et, à vrai dire, sans trop y prendre garde, me parut soudain merveilleux.

Aussitôt je pensai à Catherine : je retrouvais son visage, je lui avouais mon amour, j'osais l'embrasser. Mais, très vite, je ressentis les tiraillements de la faim, et c'est plutôt à Madame Jaule que je me mis à songer : une fameuse cuisinière, comme Man ! Et Sébastien n'avait-il pas parlé de petit salé et de pommes de terre ? Toutes ces rêveries se mélangeaient un peu dans ma tête, et, si j'avais pu les concilier en festoyant *avec* Catherine, je crois que j'aurais été parfaitement heureux.

Pour le petit déjeuner, il nous fallut nous contenter d'une boîte de magma brunâtre et de quelques biscuits. Ils nous tiendraient au corps, pour la route. Quant à leur goût, c'était autre chose ! Mais nous étions si impatients de partir que nous eûmes vite fait de les avaler. Puis j'allai garnir le râtelier de la vache, Noémie versa un peu de lait au chat, et nous sortîmes du chalet. Le soleil levant éclairait la façade et les vestiges du tas de bûches. Contre le mur, il faisait presque tiède. Mon père s'attarda un instant sur le seuil, comme s'il hésitait, puis finalement il donna un tour de clef à la serrure.

La marche fut beaucoup moins difficile que la veille, puisque nous pouvions suivre nos propres traces, et, en une demi-heure, nous atteignîmes l'abattis. Cette fois, Pa s'était muni d'une hache, et nous pûmes souffler un moment tandis qu'il élargissait le passage. Ma mère s'était adossée à un sapin, et elle s'essuyait le front. Elle avait l'air fatigué, mais elle s'efforçait de sourire.

– Ça ira, dit-elle. Je vais me reposer un peu. J'ai hâte d'arriver pourtant !

Noémie, qui furetait dans les buissons, cria qu'elle avait vu bouger quelque chose, et aussitôt un merle s'envola et fila entre les branches. Son apparition, dans le soleil du matin, me remplit de joie. S'il avait survécu, d'autres bêtes avaient dû faire de même, et le monde ne tarderait pas à se repeupler. Le grand oiseau qui, quelques semaines auparavant, s'était posé près de la terrasse, tenait du cauchemar, et je me demandais parfois si, dans notre égarement, nous n'avions pas rêvé. Je revoyais ses longues pattes, ses ailes molles et comme poussiéreuses ; j'entendais encore son cri rauque, dans le silence de la neige. Ici, rien de tel, mais un simple merle : une présence familière, et comme le signe que nous avions enfin renoué avec notre vie ancienne. Rien de plus émouvant que cette fuite sombre dans le sous-bois ! Bientôt aussi des pousses vertes sortiraient de la terre que le gel et la neige avaient brûlée. Elles couvriraient les prairies, les talus, les éboulis, se glissant entre la rocaille. Les graines, les bulbes étaient là, en attente, sous nos pieds.

À dix heures, nous étions au bord du torrent. Le sapin avait tenu, bien que l'eau eût encore monté depuis la veille. Le courant se tordait, avec un grondement furieux, à moins d'un mètre du tronc. Nous nous y engageâmes, l'un après l'autre, en nous agrippant à la corde. Je me souviens du vertige qui me saisit lorsque j'eus atteint le milieu, et je faillis glisser. Mais nous réussîmes à gagner sains et saufs l'autre rive. Malgré mon soulagement, je songeai que, si par malheur l'arbre était emporté, nous n'aurions plus aucun moyen de regagner notre maison.

Mais les silhouettes de Sébastien et de Marc, qui venaient à notre rencontre, étaient apparues, au-dessus de nous, à mi-côte, et j'oubliai aussitôt mon inquiétude.

Le chalet des Jaule avait plus que le nôtre souffert de la catastrophe. Une partie du toit s'était en effet effondrée ; une avalanche avait déversé dans la prairie voisine un chaos boueux, hérissé de branches et de pierres, et quelques-uns des grands mélèzes qui bordaient la route s'étaient abattus. Mais déjà Sébastien et son fils avaient déblayé la cour, où le troupeau prenait l'air entre des talus de neige. Des chevrons neufs, grossièrement taillés à la hache, avaient été hissés sur le toit, dont la brèche était à demi colmatée avec des planches. Un tas de bûches s'élevait près de la porte, et la cheminée fumait. On sentait que le combat avait été rude, mais que personne ne s'était abandonné au désespoir.

Je n'ai pas oublié le festin que nous fîmes, ce-jour-là : le meilleur de ma vie, comme disait parfois mon père. Après les embrassades, les exclamations, les récits de nos malheurs, nous eûmes vite fait de nous mettre à table. Madame Jaule avait préparé un plat de charcuterie, le fameux petit salé, et une vraie tarte aux pommes avec de la vraie farine. Quant à Sébastien, il était allé chercher deux bouteilles de vin à la cave, et même nous, les enfants, nous eûmes droit à un petit verre. Soudain tout le monde fut joyeux.

– Ne vous en faites pas, on s'en tirera, le plus dur est passé, criait Sébastien. Que diable, nous sommes vivants : ce n'est pas rien !

Il avait retrouvé sa voix, il gesticulait, parfois il frappait du poing sur la table.

– Allons, calme-toi ! disait Madame Jaule.

– Me calmer ? On a été bien assez calmes comme ça, ces derniers temps ! Terrés comme des marmottes. Vous savez, on pensait souvent à vous. Est-ce qu'ils vont tenir là-haut ? Comment ils se débrouillent ? De temps en temps, je tirais quelques coups de fusil, en espérant que vous entendriez.

– On n'a rien entendu, dit Pa. Nous, on faisait des signaux de fumée.

– Jamais rien vu ! Avec cette forêt… A propos, il me semble qu'il y en avait, de la fumée, du côté de Mareuil, quand je suis descendu jusqu'à l'Aroise, ce matin. Mais, à cette distance, pas facile de savoir Quant à traverser, macache ! Un océan. Il faudrait une barque. Et encore !

– L'eau finira bien par baisser.

– Oui. Alors, on verra ! Pour l'instant, à votre santé à tous !

Il levait son verre, et il répétait que tout irait bien. Nous avions les bêtes, du fourrage. D'ici peu, l'herbe allait repousser. Il avait gardé du blé, du plant de pommes de terre, des graines pour le jardin. Il nous en donnerait. Le seul problème, ce serait de labourer. Plus d'essence pour le tracteur !

– J'en ai encore une trentaine de litres, dit mon père.

– Trente litres ! Merveilleux ! En prenant garde, ça devrait suffire, dans l'immédiat. Au besoin, j'utiliserai l'araire, j'attellerai une vache…

Puis ils se mirent à discuter pour savoir s'ils planteraient ici ou là, quel champ conviendrait le mieux, et, bien entendu, ils n'étaient pas d'accord, ils recommençaient à se chamailler comme avant.

– Et moi je vous dis…

– Vous avez tort! Il vaudrait mieux…

– Allons, allons! disait ma mère.

Moi, j'étais assis avec Marc devant la cheminée, et il me montrait les dessins qu'il avait faits, ces dernières semaines, pour passer le temps. Noémie jouait sur le seuil avec le chien.

Man parlait avec Madame Jaule, et je l'entendais soupirer:

– Qu'est-ce que nous allons trouver au village? Vous croyez qu'ils ont réussi à tenir? Ces fumées pourtant, c'est bon signe…

XVI

Pendant deux semaines encore, nous restâmes prisonniers de notre montagne. L'Aroise, toujours déchaînée nous isolait du monde. L'autre pont, en aval, que nous avions enfin réussi à atteindre en prenant à travers bois, était lui aussi coupé. Mais le petit pont, entre nos chalets, et la passerelle qu'avait jetée Sébastien avaient tenu. La piste qui nous unissait était maintenant bien frayée, car il ne se passait pas de jour sans que, pour une raison ou pour une autre, nous nous rendions visite. La neige ne subsistait que sur les pentes et dans les creux mal exposés. Il y eut une dernière avalanche et des glissements de terrain, qui ne causèrent pas de dommage, excepté à quelques champs, qui furent recouverts de boue et de pierraille.

Les Jaule et nous avions mis nos ressources en commun. Ils nous avaient donné des vivres, et, de notre côté, nous eûmes vite fait de transporter jusqu'à la ferme la plus grande partie de notre réserve d'essence, car Sébastien voulait commencer aussitôt les labours. Mais, à la première tentative, le tracteur s'embourba dans le terrain détrempé, et il fallut attendre.

Pourtant le soleil étincelait, l'air était tiède, et nous reconnaissions avec bonheur tous les signes d'un vrai printemps. L'herbe se mit à croître avec une étonnante vigueur, et nous pûmes enfin mener Io paître dans la prairie. Les mélèzes se couvraient d'une brume de bourgeons vert tendre. Quelques oiseaux étaient apparus : merles, moineaux, coucous, mésanges, et même un couple de huppes, que, chaque année, nous retrouvions comme l'annonce des beaux jours. Des insectes sortaient titubants de leurs fissures. A nouveau, dans la rocaille, on entendait siffler les marmottes. Un soir même, j'aperçus un cerf, au cœur d'une futaie où je m'étais aventuré. Sans crainte, il tourna vers moi la tête, me regarda un instant, puis il s'éloigna de sa démarche souple et silencieuse.

En dehors des migrateurs, qui avaient pu chercher refuge dans des terres étrangères, peut-être épargnées, comment ces animaux avaient-ils réussi à survivre ? Dans quelles tanières étaient-ils restés blottis sous la neige, subsistant de rares graines, d'écorces et de racines ? Beaucoup étaient morts sans doute, dont nous découvririons plus tard, çà et là, les ossements, mais ceux qui réapparaissaient peu à peu autour du chalet étaient, pour nous, comme autant de signes de la persévérance obstinée de la vie.

Dès que le sol se fut suffisamment asséché, en haut de la prairie, mon père décida d'y ensevelir Zoé. Nous transportâmes le cercueil, qui fut enfin déposé dans une fosse, à la lisière du bois de sapins où la pauvre chèvre aimait s'ébattre. Noémie, bien sûr, versa une larme, puis, d'un geste discret, elle jeta dans la tombe un bouquet de pâquerettes.

Tandis que nous revenions en silence vers le chalet, conscients à nouveau de la présence, autour de nous, de la mort, un avion, presque invisible, passa très haut dans le ciel. Il s'éloigna vers le sud, indifférent à notre sort, laissant derrière lui une mince traînée blanche que le vent bientôt effilocha.

Sans plus tarder, Pa se remit au jardinage, car nous pressentions que, dans les mois à venir, c'était de lui qu'en grande partie dépendrait notre existence. La récolte de l'automne précédent nous avait permis d'éviter la famine, et, l'humidité et le soleil aidant, nous pouvions espérer obtenir assez vite les premiers légumes. Comme il n'y avait pas de temps à perdre, Pa nous accorda une semaine de vacances scolaires, et tous nous nous mîmes au travail. La terre de notre potager, plus perméable, fut retournée sans trop de peine. D'autre part, le fumier ne manquait pas. Pendant la fonte des neiges, il était peu à peu descendu dans la cour, et nous n'eûmes qu'à le transporter avec la brouette. En quelques jours, le jardin fut ensemencé. Nous réservâmes un grand carré aux pommes de terre, et le reste fut emblavé en carottes, salades, navets, épinards, sans oublier les radis, qui eurent tôt fait de lever. Le châssis fut consacré aux choux et aux tomates, que nous pourrions repiquer dans quelques semaines.

Après notre journée de travail, nous nous reposions, mon père et moi, sur le banc, près de la source. Nous restions là, silencieux, comme engourdis par la fatigue et le bruit de l'eau qui débordait du bassin. De la terre montait une odeur d'humus, et, dans les derniers rayons du soleil, tourbillonnaient des vols de moucherons. Parfois mon père se levait pour rectifier, de son râteau, le tracé d'une allée, ou pour ramasser quelque pierre. Son jardin, il le traitait avec la même minutie, le même amour que ses sculptures. Et s'il était conscient de son utilité, ce qu'il cherchait, au fond, d'une certaine manière, c'était le chef-d'œuvre.

– Ça commence à prendre tournure, hein? disait-il. Tu as travaillé comme un dieu! Tu ne te sens pas trop las?

– Non. Et puis ça me plaît de jardiner avec toi.

– Parfait! Demain on préparera le terrain pour les courgettes. Après, il faudra quand même songer aux études. Où est-ce que nous en étions restés? Ah oui, à Baudelaire, et je voulais aussi vous parler de Verlaine. J'ai toujours aimé cela: passer du jardin aux livres.

– Ou à la sculpture.

– Oui, la sculpture... Je m'y remettrai plus tard. Pour l'instant, j'ai trop à faire. On va encore essayer de descendre jusqu'à Mareuil avec Sébastien. L'eau a peut-être baissé.

La cheminée fumait dans le crépuscule. Man apparaissait à la barrière, et elle nous criait: «A la soupe!» Nous rangions nos outils dans la remise, et Io revenait en meuglant vers l'étable. Oui, peu à peu la vie reprenait son cours.

Pourtant il se passa encore quelques jours avant que mon père et Sébastien puissent atteindre le village. Lorsque le torrent fut enfin rentré dans son lit, ils jetèrent une passerelle entre les piles du pont détruit, et, après une expédition qui dura toute une journée, ils rentrèrent à la nuit tombante, la mine défaite.

Plusieurs maisons s'étaient effondrées sous le poids de la neige, d'autres avaient été ravagées par la crue, une centaine de personnes avaient péri. Les survivants étaient toujours sous le choc, et, dans leur désarroi, ils nous avaient, semble-t-il, oubliés ou bien nous tenaient pour perdus. Les victimes étaient surtout des malades, des vieillards, mais aussi Bernard, le boulanger, Monsieur Marmion, emporté avec son chasse-neige par une avalanche, et Deslauriers, mon professeur de français, que l'on avait retrouvé mort, probablement de faim ou d'asphyxie, dans sa bibliothèque, parmi les livres.

Ils citaient encore d'autres noms. La gorge serrée, je demandai : « Et Catherine ? » Elle était vivante, dit mon père, comme la plupart des enfants, mais tous étaient affaiblis, et les réserves du supermarché, qui leur avaient permis tant bien que mal de tenir, étaient presque épuisées. Ils espéraient recevoir des secours. Mais d'où, et comment ? Les communications, bien sûr, n'étaient pas rétablies. Il n'y avait plus d'essence dans les stations, et d'ailleurs la route nationale était coupée.

Pa continuait de parler, mais c'est à peine si je l'écoutais. L'angoisse que j'avais éprouvée toute l'après-midi s'était soudain dissipée, et, s'il n'avait pas été si tard, je crois que j'aurais couru comme un fou à travers bois jusqu'à la maison de Catherine.

XVII

Chacun se souvient de la période qui succéda à cet hiver tragique. Après quelques semaines d'hébétude, l'ordre s'est peu à peu rétabli. On a enterré ou brûlé les morts; on a déblayé, rafistolé, reconstruit. Tant bien que mal, on a remis en marche l'énorme mécanique, ou du moins les rouages qu'il était urgent de faire fonctionner. En de telles circonstances, on a vite fait de poser le doigt sur l'essentiel.

Le nombre des victimes s'est révélé considérable, et certains, qui étaient parvenus à résister à la neige, au froid, à la famine et au déchaînement des eaux, furent emportés par les épidémies qui bientôt, çà et là, se déclarèrent mais par bonheur furent rapidement enrayées. Il y avait aussi, errant dans les rues et les campagnes, de malheureux hallucinés auxquels l'épouvante avait enlevé toute raison, et dont bientôt les hôpitaux furent pleins.

Pourtant, je ne puis que remarquer combien grandes furent, en face de ces épreuves, l'ingéniosité et la résistance humaines. Les survivants qui s'arrachaient, faméliques et titubants, de leurs tombeaux de neige n'ont pas tardé à se remettre à l'ouvrage, et la vie, tenace, à nouveau s'est imposée, comme ces plantes que l'on extirpe, mais dont il reste toujours quelques graines ou quelques racines, qui, un jour, lanceront leurs pousses vers la lumière.

On découvrait, bien sûr, avec stupéfaction, que tout l'hémisphère nord avait été touché, et les rumeurs les plus folles se propagèrent. On parlait d'une arme absolue, braquée sur nous par un autre monde acharné à notre perte ; d'une soudaine défaillance du feu central ; d'une modification de l'axe de rotation du globe. Que sais-je encore ? Des illuminés voyaient la main d'un dieu vengeur, résolu à punir enfin l'humanité de ses crimes. Des physiciens avançaient, avec plus de vraisemblance, qu'une série d'expériences thermonucléaires au Pôle Nord avait pu mal tourner, entraînant une transformation brutale du climat ; mais comme la station ultra-secrète et les spécialistes qui l'occupaient étaient restés ensevelis sous des millions de mètres cubes d'une neige qui, elle, n'avait pas fondu, on ne pouvait vérifier l'hypothèse. Dans quelques années ou quelques siècles, un glacier finirait peut-être par cracher, avec les instruments et les cadavres, la clef du mystère.

Quoi qu'il en soit, nous ne sommes plus les mêmes. Les illusions, l'orgueil, la démesure ont été rabaissés. Nous avons retrouvé la patience, l'humilité, le sens de l'effort, et beaucoup de nos concitoyens affirment que le bien est sorti du mal, et qu'il faut en remercier Dieu.

D'ailleurs, les églises sont pleines, comme toujours dans les époques périlleuses, où l'on se tourne instinctivement vers les prêtres, mais aussi vers les philosophes et les poètes qui, méditant sur le désastre, cherchent de nouvelles raisons d'espérer. Il est bien connu que la souffrance et la peur prêtent aux hommes un supplément d'âme. Mais, que l'épreuve se relâche et que revienne un semblant de prospérité, ils auront vite fait de s'éloigner de ce qui aujourd'hui les sollicite. J'avoue moi-même qu'il m'arrive d'oublier ma prière du soir, et que la ferveur que j'y apportais, pendant les semaines les plus sombres, est quelque peu retombée. Pourtant les images du déluge me poursuivent, et j'en connais la gravité. Si je les ai notées ici, c'est moins pour m'en délivrer que pour les approfondir.

Sept années se sont écoulées. Mes parents vivent toujours à Valmagne. Ma mère s'est peu à peu rétablie, et elle a retrouvé toute sa passion pour la musique. Quant à mon père, il a récemment entrepris de sculpter un retable pour l'église du village. Il s'occupe aussi du jardin et du verger. Il a acheté une autre chèvre. Dans ses lettres, il me parle de tout cela et de ses lectures. Il vient de se remettre à Homère, Sophocle et Aristote, comme s'il voulait reprendre, depuis les origines, un parcours que, m'écrit-il avec un mélange d'humour et de mélancolie, il a somme toute peu de chances d'achever.

J'étudie le français à l'université de Lyon. Mes amours avec Catherine n'ont pas été heureuses. Sans doute avais-je trop rêvé d'elle, dans la nuit de ma prison, pour n'être pas déçu par la réalité. Lorsqu'il m'arrive de la croiser, dans le village, et d'échanger quelques mots avec elle, à peine si je reconnais la jeune fille qui a tant occupé mes pensées, et à laquelle je trouvais tous les charmes. Noémie est pensionnaire au lycée de Grenoble, où elle termine sa première ; mais, dès que nous le pouvons, nous profitons des vacances pour nous réunir au chalet.

Lorsque, la veille de Noël, je descends à la gare de Gap, la présence de la neige a vite fait de raviver mes souvenirs. Mon père m'attend sur la place, et je reconnais de loin sa canadienne et son bonnet de fourrure.

Nous nous embrassons, je sens ses joues glacées contre les miennes, et sa barbe où luisent de menus flocons. Il dépose ma valise dans le coffre de sa voiture, et nous montons lentement à travers la forêt.

Rien n'a changé là-haut. La cour est déblayée, le tas de bois soigneusement rangé contre la façade. Ma mère nous attend, derrière la vitre, et quand elle aperçoit les phares au tournant de la route, elle efface la buée d'un geste vif, qui est pour moi comme un signe de bienvenue.

Je pousse la porte ; le plancher grince sous mon pas ; un feu brûle dans la cheminée. Je reconnais les odeurs du bois, du foin, de la cuisine, celle des cheveux de ma mère. Alors je suis vraiment de retour, et les semaines, parfois les mois d'absence s'effacent. Je redeviens le jeune garçon que j'étais, et il me semble que je ne voudrais plus ni vieillir ni bouger.

Plus tard, au milieu de la nuit, je m'éveillerai dans ma chambre, je n'entendrai aucun bruit, et aussitôt je penserai au silence de la neige. Pendant quelques secondes, je me demanderai si nous ne sommes pas à nouveau captifs, et, au fond, je ne serais pas tellement surpris que s'élève le hurlement des loups.

J'aime toujours l'hiver,, mais j'avoue qu'il m'oppresse, et désormais c'est le printemps que je préfère, lorsque les ruisseaux cascadent dans la prairie, et que s'épanouissent les premières fleurs. Je me souviens alors du bruit de l'eau, qui fut, pour nous, le signe de la délivrance.

Les après-midi de soleil, je vais souvent m'asseoir entre les blocs de pierre que l'avalanche a déposés sur l'autre rive du torrent. Depuis quelques années y croissent des jeunes sapins et des bouleaux particulièrement vivaces, de telle sorte que ce lieu ressemble à l'un de ces jardins labyrinthes, dont mon père aimait nous lire les descriptions dans les récits de voyages en Orient. Il y fait tiède à l'abri du vent. Les oiseaux, le soir, viennent s'y réfugier en grand nombre, et ils s'agitent longuement, invisibles dans les branches, jusqu'à ce que la nuit qui tombe les apaise.